P9-CSE-045

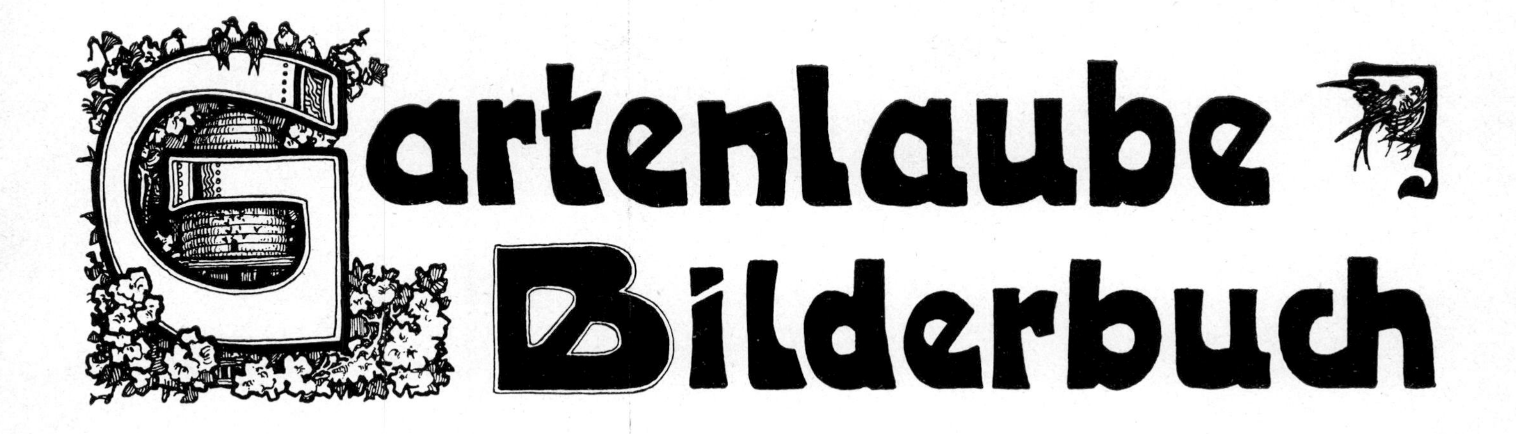

Der deutschen Jugend gewidmet
vom Verlag der Gartenlaube

Ernst Keil's Nachfolger G.m.b.H. in Leipzig

Druck der Union Deutsche Verlagsgesellschaft in Stuttgart

Inhalt

Seite

Weihnacht. Gedicht von Anna Ritter. Mit Bild von St. Rejchan . . . 4
„Hab ihn lieb!" Erzählung von Helene Binder. Mit Bild von Paul Rieth . . . 5
Der Chinese. Erzählung von Klara Reichner. Mit Bildern von Walther Caspari . . . 6
Stelzenläufer. Gedicht von Anna Bender. Mit Bild von Hellmut Eichrodt . . . 8
Der Jahrmarktgroschen. Gedicht von Frida v. Kronoff. Mit Bild von A. Schmidhammer . . . 9
Das ungehorsame Häschen. Gedicht von Anna Ritter . . . 10
Im Jagdeifer. Gedicht von Karl Rosner. Mit Bild von Fritz Reiß . . . 10
Das erste Bad. Gedicht von J. Trojan . . . 10
Stutz, stutz! Gedicht von Cornelie Lechler. Mit Silhouette von Frida Hoffmann . . . 11
Sandmännchen. Gedicht von Klara Hohrath . . . 11
Der Pfeilschütz. Gedicht von Gustav Kastropp . . . 11
Kinderpolitik. Gedicht von Anna Ritter . . . 11
Glücklich. Gedicht von Cornelie Lechler. Mit Bild von A. Schröder . . . 12
Eisenbahnspiel. Gedicht von Max Haushofer. Mit Bild von A. Haushofer . . . 13
Frühlings Erweckung. Erzählung von Klara Hohrath. Mit Bildern von E. H. Walther . . . 14
Annchen schreibt. Gedicht von Henny Koch . . . 15
Die Lieblingspuppe. Gedicht von Cornelie Lechler. Mit Bild von W. Unger . . . 16
Vom ungenügsamen Lenchen. Gedicht von Anna Bender. Seite 16. Mit Bild von Hellmut Eichrodt . . . 17
Glockenelfchen. Märchen von Klara Hohrath. Mit Bildern von Fritz Reiß . . . 18
Das Königskind. Gedicht von Hermann Stegemann. Mit Bild von Hellmut Eichrodt . . . 20
Waldgeschichten. Gedicht von L. v. Strauß und Torney . . . 20
Seifenblasen. Gedicht von Klara Hohrath. Mit Bild von G. Roeßler . . . 21
Vom Mäuslein Tunichtgut. Fabel von Helene Binder. Mit Bildern von Fedor Flinzer . . . 22
Der kleine Hauptmann. Gedicht von Anna Ritter. Mit Bild von Paul Rieth . . . 24
Ottos Ferienreise. Erzählung von W. Heimburg. Mit Bildern von F. Müller-Münster . . . 25
Die Geburtstagsmessung. Gedicht von J. Trojan . . . 29
Der Bär und der Haarschneider. Märchen von Agnes Harder. Mit Bildern von Paul Neumann . . . 30
Die Puppentaufe. Gedicht von L. Rafael . . . 32
Frühlingsträume. Gedicht von Therese Dahn. Mit Umrahmung von G. A. Stroedel . . . 33
Woher der Schnee sein weißes Kleid hat! Märchen von Klara Reichner. Mit Bild von Fritz Reiß . . . 34
Freikonzert. Gedicht von Hans Hoffmann. Mit Bild von Walther Caspari . . . 35
Schlafliedchen. Gedicht von Klara Hohrath . . . 35
Die Kühe machen „Muh!" Gedicht von Klara Hohrath . . . 35
Aus Versehen. Gedicht von Cornelie Lechler. Mit Bild von E. H. Walther . . . 35
Die zehn Negerbuben. Von A. Schmidhammer . . . 36
Das Hirschbrüllen. Erzählung von Bertha Clément. Mit Bildern von Franz Stassen . . . 38
Muttersöhnchen. Gedicht von Anna Ritter. Mit Bild von Fritz Reiß . . . 43
Zukunftspläne. Gedicht von Cornelie Lechler . . . 43
Vom Eichhorn. Gedicht von Victor Blüthgen . . . 43
Wie Gretchen wachsen wollte. Gedicht von Klara Hohrath. Umrahmung von W. Thielmann . . . 44
St. Georg, der mutige Drachentöter. Gedicht von Karl Rosner. Mit Bild von Hans Schulze . . . 45
Das Schokoladenschloß. Ein Märchen von Hans Hoffmann. Mit Bildern von W. Thielmann . . . 46
Wie Fritzchen zum erstenmal einkaufte. Erzählung von Agnes Hoffmann. Seite 50. Mit Bild von H. Vogeler . . . 51
Die Entenmutter. Gedicht von Anna Ritter. Mit Bild von Fedor Flinzer . . . 52
Karlchen mit den Hunden. Gedicht von Anna Bender. Mit Bild von Hellmut Eichrodt . . . 52
In Versuchung. Gedicht von Karl Rosner. Mit Bild von Theo. Grust . . . 53
Das letzte Weihnachtslicht. Erzählung von Klara Hohrath. Mit Bildern von Hanns Anker . . . 54
Allerlei Wahrheiten. Gedicht von Cornelie Lechler . . . 55
Mannesstolz. Gedicht von Cornelie Lechler . . . 55
Gespräch zwischen Hans und Grete. Gedicht von Klara Hohrath. Mit Bild von A. Schmidhammer . . . 56
Die Waldfrau. Gedicht von Anna Bender. Mit Bild von Hellmut Eichrodt . . . 57
Im Juni. Gedicht von Victor Blüthgen . . . 57
Der schöne Fund. Gedicht von J. Trojan . . . 57
Die einsame Blume. Märchen von Anna Ritter. Mit Bildern von E. Kreidolf . . . 58
Im Bienenhaus. Gedicht von Franz Bechert. Mit Bild von Fedor Flinzer . . . 60
Die Königin. Gedicht von Heinrich Seidel. Seite 60. Mit Bild von H. Vogeler . . . 61
Die Mieke. Gedicht von Bertha Clément. Mit Bild von Hans Schulze . . . 62
Gnomen-Abenteuer. Gedicht von Karl Rosner. Mit Bild von W. Thielmann . . . 63
Was Karlchen sich wünschte. Gedicht von Henny Koch . . . 63
Hoch oben. Gedicht von L. v. Strauß und Torney. Mit Bild von Franz Hein . . . 64
Die beiden Tassen. Märchen von Klara Hohrath. Mit Bild von E. H. Walther . . . 65
Vom Kathreinchen und von der Thilde. Gedicht von Karl Rosner. Mit Bild von M. Schönberger . . . 66
Bescheiden. Gedicht von Henny Koch . . . 66
Die Bettler. Gedicht von Heinrich Seidel. Mit Bild von F. Vezin . . . 67
Vorfrühling. Lied von Cornelie Lechler. Mit Komposition von Chr. Bering . . . 68
Vorüber ist der Winter. Lied von Cornelie Lechler. Mit Komposition von Chr. Bering . . . 69
Hänschens Geburtstagsgeschenk. Gedicht von Elise Maul . . . 70
Brummers Abenteuer. Gedicht von Victor Blüthgen . . . 70
Der kleine Künstler. Gedicht von Cornelie Lechler . . . 70
Zwei Helden. Gedicht von Hans Hoffmann. Mit Bild von E. H. Walther . . . 71
Der neue Kragen. Gedicht von Gustav Kastropp . . . 71
Allerlei Spiele. Von Irene Braun . . . 71

Weihnacht.

Wie am Baum die Lichter prangen –
schöner war das Christfest nie!
Heiß erglühn der Kinder Wangen,
und ihr Mund singt unbewußt,
mitten in der Weihnachtslust,
eine süße Melodie,
wie sie schon der Ahn gesungen,
als er selbst im Lockenhaar
um den Lichterbaum gesprungen. —
Leise schwindet Jahr um Jahr ...
Schaukelpferd und Hampelmann
wandelt die Zerstörung an,
und das Bilderbuch, das heute
euer Kinderherz erfreute,
wird dereinst zerrissen sein.
Aus der Schar der kleinen Leute
werden Männer, werden Frauen,
die ihr eignes Nestchen bauen,
Gestern wird, was Heute war.
Aber bleiben immerdar
wird der Christnacht heller Schein,
wird der Klang der Weihnachtsglocken,
Kinderjubel und Frohlocken!

Anna Ritter.

Nach dem Aquarell von St. Rejchan.

„Hab ihn lieb!“

„Pussel, willst du nicht mit mir und dem neuen Kätzchen spazieren gehen; komm, wir zeigen ihm alles!“ sagte Bärbchen zu ihrem Vierbeinfreund.

Der aber blieb fest und breitbeinig sitzen, wandte den Kopf verächtlich und spöttisch ein wenig zur Seite und sagte nur: „Wau, wau!“ aber in solchem Tone, daß es klang wie: „Fällt mir gar nicht ein!“

Bärbchen — es war noch solch kleines, liebes Ding — verstand den Pussel gar nicht. Was hatte der nur heute? Der war doch sonst ihr lieber, guter Spielgefährte und Freund, der schon früh am Morgen ungeduldig an ihrer Kammertüre kratzte, bis ihm jemand öffnete, der dann schwanzwedelnd um sie herumlief, bis ihr Zöpfchen geflochten, die weiße Haube aufgesetzt war und sie, fertig angezogen, hineinschlüpfte in die Holzpantoffeln, und der dann mit ihr hinunterlief durchs Haus, durch den Hof und den Garten! Wo Bärbchens Pantoffeln klapperten, da hatte man auch immer Pussels weiße Pfötchen umherlaufen sehen! Und nun, heute? Da sagte er nur so eigen: Wau, wau! und tat, als kenne er sein Bärbchen nicht mehr.

Hatte ihn vielleicht das schwarze Kätzchen gekratzt? Freilich, scharfe, spitze Krallen hatte es — Bärbchen hatte das selbst erfahren: über ihre Hand lief ein roter, langer Kreller, der ganz tüchtig gebrannt hatte. Hm, ob es so war?

Bärbchen wurde ganz nachdenklich. Klick, klack! klangen die kleinen Holzpantoffeln auf dem gepflasterten Hof; klick, klack! klangen sie die Steinstufen hinauf, in die Küche zur Mutter.

„Mutter, Pussel ist bös mit mir!“ sagte Bärbchen traurig. „Weißt du, warum?“

„Nein,“ sagte die Mutter ernsthaft, aber versteckt lächelte sie ein wenig.

„Was soll ich tun, daß er wieder gut wird?“

„Hab ihn lieb!“ sagte die Mutter.

„Das habe ich ja getan, nicht wahr, Schwärzchen? Wir sind ganz freundlich hingegangen und haben ihn gebeten, mit uns spazieren zu gehen, und da hat er kaum nach uns hingesehen und böse gebrummt. Was soll ich nun tun, Mutter?“

„Ja, mein Töchterchen,“ sagte die Mutter freundlich, „ich kann nur wieder dasselbe sagen: Hab ihn lieb!“

Eine Weile stand Bärbchen gedankenvoll, dann faßte sie ihr Schwärzchen fester in den Arm und sagte nur: „Komm, wir wollen ihn lieb haben!“ —

Unterdes saß Pussel noch immer auf demselben Fleck; sein Gesicht war noch böser geworden. Zornig schnappte er dann und wann nach einer Fliege, und wenn er dazwischen: Wau, wau! sagte, klang es noch grimmiger als vorhin. Klick, klack! Klick, klack! ging es da auf einmal wieder; aber er drehte sich gar nicht danach um. Klick, klack! Klick, klack! tönte es da ganz nah, und plötzlich legte sich ein weiches Ärmchen um seinen Hals und ein Stimmchen sprach freundlich: „Pussel, lieber Pussel, komm doch mit!“ — Na — und da hatte Pussel plötzlich vergessen, daß er eigentlich wegen der dummen, schwarzen Mieze hatte böse sein wollen; er wedelte mit dem Schwanz, bellte ein lustiges Wau, wau! ein so ganz anderes als vorher, und dann liefen sie fröhlich zusammen um die Wette.

Helene Binder.

Originalzeichnung von Paul Rieth.

Der Chinese.

Von Klara Reichner. Mit Bildern von Walther Caspari.

In Mutters guter Stube, auf dem Schranke, stand er: der Chinese! Ein echter, waschechter Chinese, denn er war ganz aus Porzellan, vom allerfeinsten, und außerdem von einem wirklichen Chinesen mit einem langen Zopf verfertigt worden.

Darum — weil er so weit her war — stand er auch so hoch, denn was man nicht alle Tage haben kann, verdient den Ehrenplatz; — das ist gewiß und weiß ein jeder.

Nun meinte Vater zwar: „Fast käm' es ihm vor, als ob der waschechte Chinese da oben auf dem Schranke am Ende doch kein wirklicher Chinese sei, den ein Chinese mit einem langen Zopf verfertigt habe!" — Tante aber, von der Mutter ihn zu Weihnachten bekommen hatte, sagte: „Sie wisse es genau, so genau, daß sie — wenn sie wollte — beinahe darauf schwören könnte, daß der Chinese da ein echter, wirklicher Chinese sei, weil sie ihn von einer Freundin hätte, die ihn von einem Bruder hatte, der ihn von einem guten Freund bekam, dessen Vater in seiner Jugend auf einem englischen Schiffe selber mit nach China gesegelt wäre. Darum sei es ganz gewiß!"

Ja, es war wirklich ein ganz außerordentlicher Chinese, — von echtem Porzellan, bemalt mit schönen, prächtig-bunten Farben.

Da saß er nun auf seinem niederen Sessel, der ganz und gar vergoldet war, und sah — man konnte es nicht anders sagen — sehr würdevoll und stattlich aus. Vorn hatte er einen langen, langen Schnurrbart, und hinten einen noch viel längeren Zopf, und die Augen saßen ihm so schief, so hübsch schief im Kopfe, wie sie einem lebenden Chinesen nicht schiefer sitzen können.

In der einen Hand hielt er eine große Pfeife, aus der er hätte rauchen können, und in der anderen eine Schale, aus welcher er wohl eben seinen Tee getrunken hatte, — alles gerade wie ein wirklicher Chinese, der bei sich zu Hause ist.

Zu Haus, in China, war er trotzdem leider nicht, und deshalb sah er wahrscheinlich auch so traurig aus, denn wenn man Heimweh hat, kann man nicht vergnügt aussehen, weil das eine böse, bitterböse Krankheit ist, die arg viel Schmerz bereitet.

Eigentlich war's aber etwas anderes, ganz was anderes noch, warum der arme Chinamann so traurig aussah. — Er hatte nämlich einen Wunsch, einen rechten Herzenswunsch, denn der Wunsch kam von der linken Seite her, wo das Herz bekanntlich sitzt, bei jedem, der es auf dem rechten Flecke hat, und dieser eine Wunsch hieß: „Einmal — ach ein einzigs Mal nur — links um die Ecke schauen können, — um die Ecke links!"

Und das war doch ganz und gar unmöglich, denn sein Kopf saß ihm so steif und fest, wie angewachsen, mitten auf dem Halse, — und sah nach vorn, immer nur nach vorn, — geradeaus! —

Oh, — es war zu schrecklich!

Warum aber der Chinese gerade um die linke Ecke schauen wollte — denn aus der rechten Ecke machte er sich gar nichts — das wußte freilich nur er selber; es lag nun einmal nicht in seiner Art, sich laut zu äußern.

„Bimbam, — bimbam! — klingling, — klingklang, — kling — klang!" tönte es nämlich von links her zu ihm hin, wie Silberglöckchen.

Es war zu reizend! — So chinesisch! — Ganz so wie zu Hause!

Wo diese Glöckchen hingen, — oh, er konnte es sich sehr gut denken! — Die kleinen Silberglöckchen hingen sicher und gewiß — er wußte es genau — an einem großen Sonnenschirm, und diesen Schirm hielt in der kleinen Hand eine kleine, wunderniedliche Chinesin, mit ganz winzig kleinen Füßchen, und Augen schwarz wie Waldbeeren, und so allerliebst geschlitzt, wie man es nur in China finden kann. — In China! —

„Oh!" seufzte der Chinese, tief und herzbrechend. „Oh — o—h!"

Und: „Bimbam, — bimbam! — klingling, — klingklang, — kling — klang!" tönte es wieder von links her um die Ecke.

„Ach — nur einmal um die linke Ecke schauen können, — einmal nur, — ein einzigs Mal!“ —

Doch — es ist nicht immer gut, wenn man um die Ecke schauen kann, und auch nicht immer gut, wenn unsere Wünsche sich erfüllen! —

Kommt da eines Tags das jüngste Kind in Mutters gute Stube, wo es nichts zu suchen hatte, weil es ihm verboten war.

Flugs stieg's auf einen Stuhl beim Schranke, um den Chinesen da oben in der Nähe zu besehen. —

„Ei, — wie schön!“ —

Bums! — lag er unten, — knacks! — in Scherben! —

Das Kleine weinte jämmerlich, und lief hinaus. —

Dem armen Chinamann war Hören und Sehen erst vergangen bei dem großen Krach. Als er aber merkte, daß er doch noch nicht ganz tot sei, und daß nur seine lange Pfeife und die Teeschale entzwei gegangen waren, kam er wieder zu sich, und sah umher. —

O Freude, — o Entzücken! — Was sah er da? — Er war so gefallen, daß er jetzt um die Ecke, — gerade um die linke Ecke schauen konnte! nach dorthin, von wo die hellen Silberglöckchen klangen, — links um die Ecke! —

Schnell sah er hin. — Doch — da wurde ihm ganz schlecht, — ach so schlecht, daß er fast aufs neue ohnmächtig geworden wäre! —

Wo war die wunderniedliche Chinesin mit den kleinen Händchen und dem großen Sonnenschirm?!

Nichts befand sich dort, als — oh, es war zu furchtbar! — dort, auf dem kleinen Ecktischchen — nichts als ein — schauerlicher Drache! — Der hatte eine blutigrote Zunge, die er — so lang sie war — aus dem Halse hängen ließ, und lange, scharfe Krallen an den Füßen, und einen langen, goldenen Schweif, den der Drache ringeln konnte, wenn er wollte; und er ringelte ihn stets, denn wer was Schönes hat, der pflegt es gern zu zeigen, und er war sehr stolz auf seinen schönen Goldschweif. — An dem Goldschweif aber hingen viele Silberglöckchen, — die läuteten gar anmutig: „Bimbam, — bimbam! — klingling, — klingklang, — kling — klang!“ —

Als der Drache, der eigentlich auch aus China, aber doch kein echter Drache war, den wirklichen Chinesen dort am Boden sah, sperrte er gewaltig seinen großen Rachen auf, — so weit er konnte; — er hätte ihn, für sein Leben gern, gleich, mitsamt dem langen Zopf, verschlungen. —

Da kam zum Glück Mutter in die gute Stube, und als sie den Chinesen in Scherben auf der Erde liegen sah, war sie erst sehr erschrocken. Dann aber war sie froh, daß weder Nesthäkchen noch der Chinese Arm und Bein gebrochen hatten.

„Er kann gekittet werden!“ sagte sie. „Wenn er gekittet ist, sieht er wieder ganz wie neu aus!“

Ja, — so war es! — Er sah wirklich wieder ganz wie neu aus. — Doch gekittet ist nicht neu, und darum war er auch nicht mehr derselbe Chinese wie zuvor. Wenn es auch von außen niemand sehen konnte, — er fühlte innerlich seitdem sich noch viel trauriger als früher.

„Oh!“ seufzte er. „Oh! was war ich doch so froh und glücklich, als ich noch nicht um die Ecke schauen konnte, und die Silberglöckchen hörte, und noch glaubte, daß sie an einem großen Sonnenschirm hingen, den ein allerliebstes kleines Chinamädchen in ihren kleinen Händchen trug! — Oh!“ —

Und: „Bimbam, — bimbam! — klingling, — klingklang, — kling — klang!“ tönte es von links her um die Ecke. —

Da schauderte der arme Chinese, und wurde gelb, — ganz gelb, — vor Entsetzen.

„Ach!“ — stöhnte er. „Es ist wahrhaftig gar nicht immer gut, wenn man um die Ecke schauen kann!“ — und da hat er auch ganz recht!

Stelzenläufer.

Seht nicht gar so neidisch an
diesen langen Stelzenmann;
trotz dem lustigen Gesicht
ist's ihm so behaglich nicht.

Denn wenn mal die Strasse holpert,
wenn er über etwas stolpert,
wenn er stösst an einen Stein,
fällt er und bricht Arm und Bein.

Stolpert ihr, auf euern kleinen
dicken roten Strampelbeinen,
steht ihr lachend wieder auf
und setzt munter fort den Lauf.

Anna Bender.

Originalzeichnung von Hellmut Eichrodt.

Der Jahrmarktgroschen

Den Jahrmarktgroschen wie Silber so blank
holt Hänschen vergnüglich sich aus dem Schrank;
heut geht es behaglich vors Tor hinaus,
zu Jahrmarktsvergnügen und flottem Schmaus!

Schon lockt ihn zur Reise das Karussell,
schon bimmeln die Türkenglöckchen so hell,
der Zottelbär tanzt, mit schrillem Geschrei
schwingt kühn sich im Ringe der Papagei.

Hier blendet des Zirkuszelts bunte Pracht,
dort zeigt sich ein Türke in reicher Tracht,
hier Guckkastenbilder und Schilderei'n,
dort Waffeln und Kuchen und süßer Wein.

Da kann man wohl sinnen: Was schaff' ich an?
wie bald ist solch schönes Geldstück vertan;
nur einmal im Jahr ist Jahrmarkt — allein,
was mag hier das Schönste und Beste sein?

Und wie dem Kleinen die Wahl wird so schwer,
ein Vogelhändler des Wegs kommt daher;
ein Vöglein im Bauer noch, müd und matt,
das aß wohl seit lange sich nicht mehr satt.

Das Vöglein zwitschert: „Du törichtes Kind,
wie kannst du schwanken, — wie bist du so blind!"
Es ruft der Mann in die Menge hinein:
„Ein Groschen mein letztes Waldsängerlein!"

Ein Groschen? — Hänschen sich nimmer besann:
Rasch reicht er sein blankes Geldstück dem Mann,
dann greift er hinein in das enge Haus
und holt sich das arme Vöglein heraus.

Das lüftet die Schwingen — dann schwebt's empor,
und bald sich's im blauen Äther verlor. —
Vorbei nun die Jahrmarktsfreuden — vorbei! —
Und doch jubelt Hans. — Das Vöglein ist frei!

Frida von Kronoff.

Das ungehorsame Häschen.

„Kind,“ ruft die Häsin sorgenvoll aus,
„tu mir die Liebe und bleib heut zu Haus!
Es hat mich heut nacht so im Pelze gejuckt,
bald rechts, bald links in den Läufen gezuckt,
und gegen Morgen — ich möchte drauf schwören —
hab' ich's im Walde knallen hören!
Ach Kind, wenn ich nicht von früher her
gar so verängstigt und schreckhaft wär',
ich hörte wohl unbekümmert wie du
dem greulichen Schießen und Bellen zu.
Denn am Ende — was kann uns Schlimmes passieren,
wenn wir nicht draußen herum spazieren,
behutsam in unsern vier Wänden bleiben
und uns mit Arbeit die Zeit vertreiben!“
„I,“ denkt das Häschen, „die Mutter hat heute
ihren grämlichen Tag, wie alte Leute,
die schon ein bißchen taub und blind
und wacklig geworden nun einmal sind!
Es wird mit dem Schießen so schlimm nicht sein,
und die Hunde, die holen mich längst nicht ein!“
Und als die Mutter noch Abends spät
auf einen Sprung zu der Feldmaus geht,
um von verflossenen, schönen Tagen
zu reden und sich einmal auszuklagen,
da schlüpft das Häschen voll Unbedacht
aus der warmen Stube hinaus in die Nacht,
wird immer dreister, wird immer kecker,
macht Männchen und kollert sich über die Äcker,
läuft immer weiter von Hause fort,
denkt gar nicht mehr an der Mutter Wort . . .
Auf einmal — „piff . . . paff“ . . . ein Blitz, ein Knall,
von den Bergen ein zitternder Widerhall. —
Wo ist das kleine Häschen geblieben,
das eben noch allerlei Schnickschnack getrieben?
— Zwischen den Schollen liegt's mausetot,
und die Gräser und Halme sind purpurrot!

Anna Ritter.

Im Jagdeifer.

Herr Wichtelmann ging wohlgemut
durch Wiesen und durch Auen,
um sich an all der Blumenpracht
zu freuen, zu erbauen.
Da summt' es plötzlich sonderbar,
und zu des Kleinen Schrecken
kam angeschwirrt ein Wespenpaar
und suchte ihn zu necken.

Die eine sprach: „Herr Wichtelmann,
was habt Ihr denn für Hosen an?
Ihr solltet Euch genieren,
hier so noch zu spazieren!“
Die andere sprach: „Und Euren Hut,
Herr Heinzelmann, den find' ich gut!
Den hat man Euch mit Hieben
wohl also eingetrieben?“

Herrn Wichtelmann, den kränkten sehr
die spöttisch bösen Fragen,
drum holte er sein Fangnetz her,
und nun begann ein Jagen!
Klaps! holt er aus — vergebene Plag',
der Hieb war fehlgegangen,
er hat trotz manchem neuen Schlag
die beiden nicht gefangen. —
Und müde trollte sich nach Haus
Herr Wichtelmann zurücke
und schimpfte sich dort weidlich aus
über der Wespen Tücke!

Karl Rosner.

Das erste Bad.

Heut nahm der Heinz das erste Bad,
nein, wie der Heinz geschrieen hat!
So lange, als er noch war trocken,
war er merkwürdig unerschrocken,
doch als er mit dem einen Zeh
erst eben drin war in der See
und heraus hatte, sie wäre naß,
da schrie er ohne Unterlaß.
So fürchterlich hat er geschrie'n,
sie mußten es hören in Berlin.
Die Fische kriegten einen Schreck,
schwammen alle vom Ufer weg.

Die Fischer, die ausgegangen waren,
sind schnell wieder nach Haus gefahren,
weil sie dachten, das Meer fiel' ein,
so gar entsetzlich war sein Schrei'n.

Heut kamen sie schon von der Polizei
und sagten: wenn es so blieb' dabei
und nicht nachließe das Geschrei,
dann würd' er geschickt nach Dahomey,
wo die Bären sind und die Menschenfresser.
O Heinz, benimm dich morgen besser!

J. Trojan.

Stutz, stutz!

Hör mal, du kleiner Zottelbock,
was nützt dich denn dein dicker Rock,
was deine Beine, dünn und hoch,
und gar die Hörner? Sag mir's doch!

Der Rock wärmt Winters
mir mein Blut,
die Beinchen sind zum
Steigen gut,
und mit den Hörnern,
stutz, stutz, stutz!
stoß' ich im Scherz dich
und im Trutz.

Cornelie Lechler.

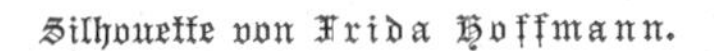

Silhouette von Frida Hoffmann.

Sandmännchen.

Was schleicht dort im Dämmer zur Türe herein?
Ein Alter in eisgrauem Mäntelein,
in eisgrauen Haaren und Bart!
Wie schwer hängt ihm über der Schulter der Sack!
Und in seinen Armen der riesige Pack,
er scheint von besonderer Art!

Nun hurtig zu Bett, und beeil' dich, mein Kind,
denn sieh nur des Eisgrauen Sack, wie er rinnt,
der Sand fliegt schon stäubend umher!
Und sieh! aus dem Pack steigen Träume wie Rauch!
Sandmännchen ist kommen nach uraltem Brauch,
nun hilft gar kein Sträuben dir mehr!

Klara Hohrath.

Der Pfeilschütz.

Mit Pfeil und Bogen zog ich aus,
tapfer und unverdrossen,
ich zielte nach Nachbar Fritzens Haus
und hab' in das Fenster geschossen.

Da klirrte das Glas und fiel herab.
Ich — kenne nicht Furcht noch Zagen,
doch räumt' ich eilig das Feld im Trab,
sonst hätte der Feind mich geschlagen.

Gustav Kastropp.

Kinderpolitik.

Fritz: Meine besten Soldaten gäb' ich her,
wenn ich der Kaiser von China wär'!
Da wohnt' ich in der „verbotenen Stadt",
die tausend Tempel und Tore hat,
brauchte keine Diktate zu machen,
ässe lauter vorzügliche Sachen,
schliefe des Nachts in seidenem Bette,
trüg' am Tag eine goldene Kette,
und wer nicht gehorchte, dem liess' ich eben
zwanzig gehörige Klapse geben!

Da lacht die Liese: Das fiele mir ein,
der arme Kaiser von China zu sein!
Zum Essen bekommt er nicht Messer noch Gabel,
steckt jedes Stück mit der Hand in den Schnabel,
was hilft ihm wohl die „verbotene Stadt",
wenn er keine guten Soldaten hat!
Und wenn er bei allem, was er sagt,
nicht die Kaiserin um Erlaubnis fragt,
bekommt er noch Schläge obendrein
und heult in sein seidnes Kissen hinein.

Fritz: Na, dann werd' ich meine Soldaten behalten,
und unten in China bleibt alles beim alten!

Anna Ritter.

Nach dem Gemälde von A. Schröder. BREND'AMOUR, SIMHART & Co.

Glücklich.

Da steht er, wie gemacht zum Malen,
im roten Rock, der kleine Wicht.
Die himmelblauen Augen strahlen,
und sonnig leuchtet sein Gesicht.

Von allen Schätzen, die sein eigen,
trug er das Schönste heut herbei.
Der ganzen Welt möcht er es zeigen,
wie köstlich sein Besitztum sei.

Und kann er auch kein Wörtchen sagen,
fühlt er doch wie ein König sich,
und seine frohen Augen fragen:
Sagt, „wer ist glücklicher als ich?“

Cornelie Lechler.

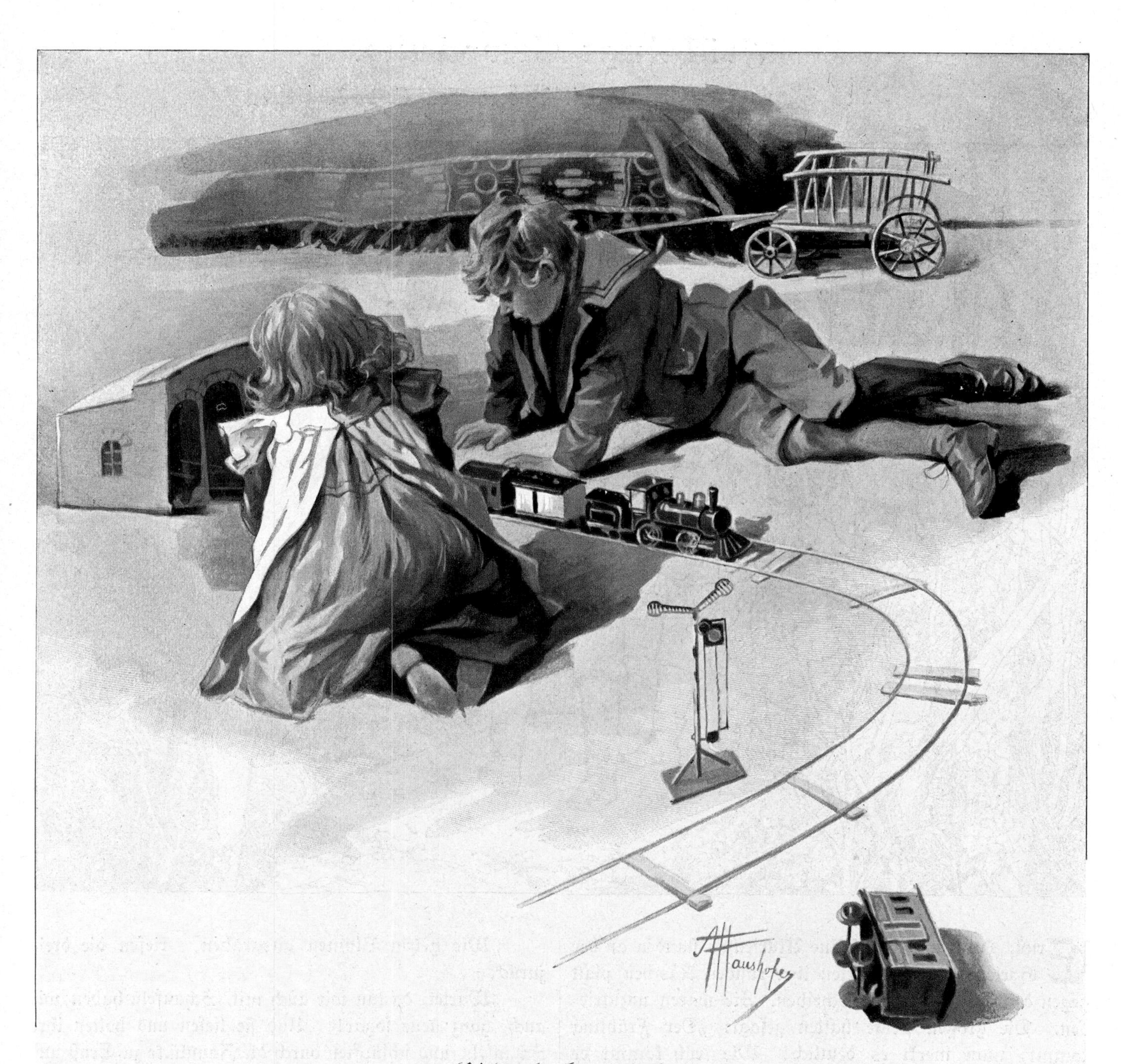

✳ Eisenbahnspiel. ✳

Der Kurt und das Gretel, sie spielen fein
Eisenbahnfahren im Kämmerlein;
ihr winziger Zug, er rasselt und klirrt;
ihr Gedankenflug, der plappert und schwirrt.

„Ich fahre," spricht Kurt voll Stolz, „nach Rom!
Dort hat der Papst einen goldenen Dom!"
„Dann fahr' ich," entgegnet das Gretel gescheit,
„nach Paris, und das ist gerade so weit!"

„Dann fahr' ich hinunter nach Afrika!"
sagt Kurt, „und helfe den Buren, ja ja!"
Und das Gretel antwortet schalkhaft darauf:
„Dann fahr' ich gleich in den Mond hinauf!"

Da lacht der Knabe: „Das läßt du wohl sein!
Du kannst ja nicht pfeifen; du bist noch zu klein!
Zum Mond hinauf darf nur, wer pfeifen kann!"
so sagt er und fängt zu pfeifen an.

Das Gretelein macht eine traurige Miene
und weint zwei Tränchen herab auf die Schiene.
Sein Kindergemüt beginnt zu begreifen:
Wer bis auf den Mond will, muß ordentlich pfeifen.

Max Haushofer.

Frühlings Erweckung.

Von Klara Hohrath. Mit Bildern von E. H. Walther.

Ernst, Franz und das kleine Mariechen standen an der Gartentüre und drückten ihre runden Näschen platt gegen deren blankgeputzte Scheiben. Sie waren unzufrieden. Die großen Leute hatten gesagt: „Der Frühling kommt, man merkt es deutlich! Wie früh kommt er dieses Jahr!" Nun standen die Kinder und schauten in den Garten hinaus und sahen doch den Frühling nicht. Der Garten war naß und schwarz wie im Winter und keine einzige Blume war zu entdecken. „Wo sind die Blumen denn?" fragte das kleine Mariechen ungeduldig. „Sie schlafen noch den Winterschlaf in der Erde, Papa hat's gesagt," erklärte der vernünftige Ernst, der kommendes Jahr schon in die Schule eintreten sollte.

„So langweilige Blumen," seufzte Mariechen und Franz schlug vor: „Wir wollen sie aufwecken. Wir haben ja Schaufeln, richtige eiserne, damit graben wir ein Loch bis hinunter zu den schlafenden Blumen. Ja, das tun wir!"

Die anderen waren damit einverstanden. So schulterten sie denn alle drei ihre Schaufeln und schritten in militärischem Schritt in den Garten hinaus, um dem Frühling ins Handwerk zu pfuschen und seine Langeschläfer von Blumen auszugraben.

Da riefen die beiden Nachbarsjungen über den Zaun herüber: „Heda! Ihr! Was tut ihr denn?"

„Wir gehen Blumen ausgraben," riefen die dreie zurück.

„Wartet, da tun wir auch mit, Schaufeln haben wir auch, ganz neue sogar!" Und sie liefen und holten ihre Schaufeln und schlüpften durch die Zaunlücke zu Ernst und Franz und Mariechen hinüber. „Ja, aber wo sollen wir nun graben, wo schlafen die Blumen?" fragte Ernst und machte ein sorgenvolles Gesicht dazu, wie er es vom Vater gesehen hatte.

„Hier graben wir, wo im Sommer die vielen roten und gelben Blumen stehn," schlug der gescheite Franz vor und zeigte auf ein großes schwarzes Beet mitten im Rasen. Das leuchtete ihnen allen ein. Ja, da mußten all die gelben und roten Blumen schlafen, die da immer standen, wenn es nicht gerade Winter war.

So stachen sie denn alle fünfe resolut die kleinen Schaufeln in die naßklebrige Erde ein. Das Graben war eine harte Arbeit! Mit dem größten Kraftaufwand der kleinen Arme lösten die Schaufeln doch nur winzige Bruchstückchen der zähen, schweren Erde ab und ächzend mußten die Kinder sie weit fortschleudern, weil sie beharrlich immer wieder in ihr altes Loch zurückrollen wollten. Die Sonne schien in froher Laune vom klarblauen Himmel auf das schwerarbeitende Häuflein hernieder und oben auf dem Gipfel der Esche saß ein Star und sang und sang, als ob er vom lieben Herrgott selbst angestellt worden sei, die Begleitmusik zur Erweckungsarbeit der Kinder zu pfeifen. Denen aber wurde es heiß und heißer. Die Knaben zogen wie richtige Erdarbeiter ihre Röcke aus und gruben in Hemdärmeln weiter und dazu spuckten sie in die Hände, ehe sie die Schaufeln wieder aufnahmen. Und Mariechen, die den Jungen in nichts nachstehen wollte, zog wenigstens ihre Ärmelschürze aus und spuckte ebenfalls in die Hände, ehe sie ihre kleine Holzschaufel wieder umklammerte.

Sie gruben und gruben, aber keine schlafenden Blumen wollten sich zeigen. Und auf einmal hielt Ernst ein zu graben und machte wieder ein sorgenvolles Gesicht. „Ich glaube, wir tun etwas Verbotenes. Ich glaube, es ist Sünde, die Blumen aufzuwecken," sagte er.

Da bekamen sie alle keinen kleinen Schrecken und sahen einander mit verstörten Blicken an, denn der große Ernst, der mußte es ja wissen, kam er doch nächstes Jahr schon in die Schule!

„Ist es wirklich Sünde, Ernst?" fragten zwei auf einmal.

„Ja, ich glaube es," sagte Ernst bedächtig. „Der liebe Gott weckt doch sonst die Blumen selbst auf in der Nacht, und wenn wir es nun schon vorher tun, ist es Sünde."

Das leuchtete ihnen wieder allen ein.

„Es ist arg Sünde," sagte das kleine Mariechen mit seinem heiseren Stimmchen und seinen übergroßen Augen.

„Dann wollen wir sie schlafen lassen, es ist gerade noch Zeit," riet Ernst und alle nickten dazu und seufzten erleichtert auf. Sie zogen nun ihre Röcke wieder an und Mariechen ließ sich die Ärmelschürze von allen Jungen der Reihe nach zuknöpfen, bis einer es wirklich recht zu stande brachte. Dann nahmen sie ihre Schaufeln auf und gingen heim. Sie traten nicht mehr so protzig auf wie beim Auszug und hielten die Schaufeln auf dem Rücken, weil sie nicht gerne gefragt werden mochten, was sie damit geschafft hätten draußen im Garten.

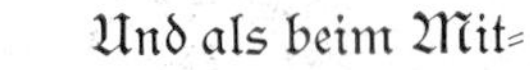

Und als beim Mittagessen der Vater sagte: „Nein, dieser herrliche Vorfrühling! Kinder, bald kommt er selbst, der richtige Frühling mit all seinen Blumen, das sollt ihr sehen!" bekamen Ernst und Franz und Mariechen rote Köpfe und sahen beschämt auf ihre Teller hinunter, weil sie daran dachten, daß sie beinahe eine große Sünde begangen und die Blumen schon im Vorfrühling aufgeweckt hätten! Aber zum Glück hatten sie noch zur rechten Zeit aufgehört zu graben, ehe sie auf die friedlichen kleinen Blumenschläfer, die nur der liebe Gott selbst aufwecken darf, gestoßen waren!

Annchen schreibt:

Liebes, gutes Christkindlein,
ich bin zwar noch dumm und klein,
aber viele schöne Gaben
möcht' ich doch zu Weihnacht haben.
Einen Kochherd, Töpfe auch,
Kessel, Pfannen, wie's so Brauch,
Teller, Löffel, Gabeln, Messer,
Schüsseln dann, je mehr, je besser,
Gläser, Flaschen allerlei
und ein Tischtuch auch dabei.
Eine Puppe, aber eine
schöne, elegante, feine,
Die auch läuft und nickt und spricht,
eine andre möcht' ich nicht.
Schlittschuh', Bücher, Hefte, Federn,
eine Schultasch', schön rot ledern,
Pelzkapp' auch und Muff dazu,
gelbe Strümpfe, gelbe Schuh'.
Liebigbilder, Ansichtskarten,
seltne Marken aller Arten.
Weiter gar nichts — wart mal — doch!
Auch ein neues Kleidchen noch
schenke mir vor allen Dingen, —
Elschen magst du 's alte bringen!

Henny Koch.

Nach der Radierung von W. Unger im Verlag von J. Casper in Berlin.

Die Lieblingspuppe.

Wie ist sie häßlich und gering,
und doch wählt unser Lottchen sich
zum Liebling dieses Puppending
und hegt's und pflegt's gar mütterlich.
Seht, wie sie es im Arme hält
und an ihr warmes Herzchen drückt,
so zärtlich und so stillbeglückt,
als gäb's nichts Schönres auf der Welt!

Da neckt sie wohl das Brüderchen:
„Ei, Lotte, sag mir doch geschwind,
warum wählst du zum Liebling denn
dir solch ein garstig Puppenkind?"
Klein-Lottchen aber ruhig spricht:
„Laß du mein Püppchen nur in Ruh'.
Es ist viel schöner ja als du,
denn es ist artig und du nicht!"

Cornelie Lechler.

Vom ungenügsamen Lenchen.

Ungenügsam war das Lenchen,
kauft sich Ballons bündelweise,
kommt sofort der Wirbelwind
nimmt's mit auf die Wolkenreise.

Englein rufen, als das Lenchen
in den Himmel will hinein:
„Wer will in den Himmel kommen,
der muss erst bescheiden sein."

Weiter aufwärts geht's zur Sonne;
doch mit ihrem Strahlenrand
hat sie all die bunten Ballons
und das Lenchen ganz verbrannt.

Anna Bender.

Das ungenügsame Lenchen.

Originalzeichnung von Hellmut Eichrodt.

Glockenelfchen.

Von Klara Hohrath. Mit Bildern von Fritz Reiß.

Die ganze Nacht hatte es unaufhörlich geregnet. Der Boden war aufgeweicht, die Gräser standen mit gesenkten Häuptern umher und an einigen Stellen der Waldwiese stand das Wasser in kleinen Tümpeln, „Seen" nannte es das zierliche Elfenmädchen, das auf einem großen Stein zwischen den feuchten Gräsern kniete und weinte. Warum weinte das kleine Ding? Weil der böse Regen sein Haus überschwemmt hatte! Nun saß es hier auf dem kalten Stein und wußte nicht, wo es die Nacht schlafen sollte.

„Ach, der böse Regen, der garstige Regen!" klagte es. Das hörte ein Schmetterling, der eben vorbeiflog.

„Was hat er dir getan?" fragte er mitleidig.

„Da sieh!" sagte das Elfenmädchen und deutete mit dem winzigen Fingerlein auf die Wasserlache vor ihr, „da schau den See! Und, siehst du, dort hinten da stand mein hübsches Haus, mit dem weißen Glockenzug vor der Tür, jetzt schaut nur noch ein Spitzchen des grünen Maiblumenblattes hervor, das ist ein Stück meines Hausdaches. Ich lebte so vergnügt in meinem grünen Häuschen. Wenn ich darinnen war, rollte sich das große Blatt zusammen, dann war ich abgeschlossen von der Welt: meine Haustür war zu. Und davor stand der Glockenzug, mein reizender Glockenzug mit den fünf weißen Glöckchen, die alle zusammen läuteten, wenn man am Stengel rüttelte. Ach, wie klang das hübsch! Die Elfenmädchen aus der Schlehdornblüte fanden das auch, sie kamen oft mich besuchen, immer eine um die andere, damit jede am Glockenzug läuten konnte, dann öffnete ich und ließ sie herein. Es war sehr eng, wir konnten nur eben zu zweien darin stehen, aber es war doch gemütlich. Ach, mein armes, hübsches Häuschen! Das Wasser will nicht fallen, ich kann nicht zu ihm hinkommen und meinen hübschen Glockenzug sehe ich gar nicht mehr, er ist gewiß geknickt!" Und das Elfenkind begann von neuem zu weinen, so recht bitterlich. Des Schmetterlings leicht gerührtes Herz empfand tiefes Mitleid mit ihr; er hätte ihr gern geholfen.

„Kannst du nicht in eine andere Blume ziehen?" fragte er, „muß es just eine Maiblume sein, worin du wohnst?"

„Ja, das muß es," schluchzte das Elfchen, „es muß ein weißer Glockenzug vor der Türe stehn, sonst besucht mich niemand mehr!" Der Schmetterling sann nach.

Plötzlich rief er: „Ich hab's! Ich weiß eine große Maiblume, sie steht im Wald am Fuß einer alten Eiche, ein Glockenzug hängt vor der Tür mit sieben Glocken daran, ich zählte sie im Vorbeifliegen."

„Ist es nicht sehr finster unter der Eiche?" sprach kläglich die Kleine.

„Nein, gar nicht," versicherte der Schmetterling, „die alte Eiche hat nur noch wenig Blätter, ihre Äste sind dürr, die helle Sonne schaut zwischen ihnen durch."

„Dann möchte ich wohl dorthin," sagte das Elfchen, „aber ich weiß den Weg nicht."

„So setze dich auf meinen Rücken zwischen die Flügel, dann trag' ich dich hin," sprach der gutmütige Schmetterling. Das Elfenkind stieg auf und fort ging's durch die Luft, über die Gräser hinweg nach dem Wald. Sie waren bald angelangt, denn ein Schmetterling fliegt schnell. Das Elfchen sprang von seinem Rücken herab, sagte: „Danke schön!" und schritt gerade auf die große Maiblume zu. Ja, die war sogar größer, als ihre frühere Wohnung es gewesen war, aber o Schrecken! sie war geschlossen. — Jetzt erst kam ihr der Gedanke, das hübsche Haus könne schon einen Bewohner haben. „Aber versuchen muß ich's doch," dachte sie und zog den Glockenzug. Alle sieben Glocken erklangen, es tönte so laut, daß sie selbst darüber erschrak. Sieh! da öffnete sich das grüne Blatt und hervorguckte — ein Elfenprinz, die kleine goldene Krone auf dem Lockenkopf! Das Elfenmädchen erschrak so sehr, daß sie kein Wort zu sprechen vermochte.

Der Schmetterling hatte alles mit angesehen, nun redete er für das erschrockene Mägdlein. „Lieber Prinz," sprach er, „wir wußten nicht, daß Ihr hier wohntet! Dies arme kleine Ding, das Ihr da zitternd vor Euch stehen seht, fand ich weinend auf einem Stein.

Der böse Regen hatte ihr Haus überschwemmt, es war gerade ein Haus wie das Eure, auch solch ein Schellenzug daran und sie liebte es sehr. Da erzählte ich ihr von diesem Hause und brachte sie hierher, wir dachten beide nicht daran, daß es bewohnt sein könne."

„Soll ich ausziehen?" fragte höflich der junge Prinz und schaute das Elfenmädchen fragend an. „O nein," sprach es da, „ich will Euch nicht vertreiben, das wäre sehr häßlich von mir."

„Ist nicht Platz für euch beide in dem großen Haus?" fragte der Schmetterling, der von Elfensitten nicht viel wußte.

„Nein, das würde sich nicht schicken," fiel ihm das Elfchen schnell ins Wort und zupfte verschämt an seinem niedlichen Spinnewebenkleidchen herum.

„Ich weiß aber eine Art, wie es sich schickt," sagte lachend der Prinz und kam jetzt ganz aus seinem Haus hervor, „du bist ein liebes hübsches Ding! Du gefällst mir; wir wollen Hochzeit machen, dann bist du meine kleine Frau und kannst getrost zu mir ins Häuschen ziehen!"

Das Elfchen antwortete gar nicht, so erstaunt war es. Aber der junge Prinz wartete nicht lange auf Antwort, er lief geschwind nach einer Wohnung in der Eiche Wurzel, dort hauste der Pfarrer, ein schwarzer Hirschhornkäfer. Als der Schmetterling sah, daß es ernst gemeint sei mit der Hochzeit, flog er nach der nahen Wiese und lud alle Heuschrecken und Heimchen zum Feste ein und bat sie, ihre Instrumente mitzunehmen und einen Hochzeitsmarsch aufzuspielen. Dazu waren sie alle bereit. Ein langer Schwarm zog hinter dem Schmetterling drein und spielte einen lustigen Hochzeitsmarsch. Als sie sich der Eiche näherten, sahen sie die kleine Braut vor dem Häuschen stehn und an dem großen Schellenzug Probe läuten, sie schaute sehr vergnügt dabei aus. Und da kam auch schon der Elfenprinz in Begleitung des Pfarrers. Der traute das junge Paar. Die Musikanten spielten ganz leise und ernst dazu, der Schmetterling weinte ein Tränlein, er war so leicht gerührt! Und dann zog das Paar in sein grünes Haus. Elfenprinzeßchen hatte nun wieder ein Heim und — einen siebenglockigen Schellenzug!

Das Königskind.

In lachender Sonne, im Maienwind,
da geht in der Frühe, ja glaub es nur,
ein schlankes, holdseliges Königskind
durch die träumende Welt. Es läßt keine Spur,
doch wo es ging, ist über Nacht
der Frühling gekommen in Duft und Pracht.

Hermann Stegemann.

Waldgeschichten.

Hast du am Berg, wo die Tannen stehn,
das graue steinerne Haus gesehn?
Pochst du bei Tag an die dunkle Tür,
keine Stimme ruft Antwort dir!
Aber bei Nacht, da kommt es heraus,
da knarrt der Riegel am Hexenhaus,
und die Käuzchen schreien und huschen mit,
wenn die Hexe über die Schwelle tritt!
Neulich — es wurde schon dunkel fast —
hab' im Buschwerk ich aufgepaßt.
Aber plötzlich — mir hat's gegraut —
da rauscht's im Ginster und Heidekraut,
und knackt und raschelt so sonderbar —
gleich wußt' ich, daß es die Hexe war!
Und ich rannte bergunter mit heißem Gesicht:
Noch hast du mich nicht!
Und an der Schlucht, wo die Quelle springt
und heimlich zwischen den Steinen klingt,
wo die Brombeerranken klettern am Rand
und Wurzeln kriechen an nasser Wand,
da hausen die Zwerge tief im Stein
und irgendwo führt ein Tor hinein!
Und wie ich just da vorüberlief,
war mir's, als ob mich ein Stimmchen rief.
Ich schaute mich um: Da hockt es im Moos,
in roter Kappe, zwei Spannen groß,
mit grauem Barte, so alt wie der Berg,
ein richtiger Zwerg!
Aber die Zwerge sind klug und schlau,
und können zaubern — ich weiß genau!
Als ich heranschlich auf den Zeh'n —
husch — kein Zwerg mehr im Moos zu sehn!
Steif und stumm nur, und rot wie Blut,
reckte ein Pilz seinen Feuerhut!

Da war der Spaß mir denn doch zu dumm,
ich lief und sah mich nicht einmal um!
Der Häher, der in den Buchen saß,
kreischte mir nach, ich weiß nicht was.
Ein Hase äugt' aus dem Gras empor
und machte mir höhnisch ein Männchen vor,
und das Eichhorn lugte zum Grün heraus
und lachte mich aus!

L. von Strauß und Torney.

Originalzeichnung von Hellmut Eichrodt.

Nach dem Gemälde von G. Roessler.

Seifenblasen

urra — heut ist's lustig im dämmrigen Stall,
es fliegen die Kugeln von blankem Kristall,
schwingt eine sich hinter der anderen her,
als ob eine Fee hier am Ballspielen wär!
Ein Strohhalm genügt und ein Schälchen voll Schaum,
der Paul bläst hinein in den flockigen Flaum,
da wiegt sich am Halme die Kugel schon rund,
sie wächst und sie dehnt sich und spiegelt so bunt . . .
Es bläst die Lisett und die Annemarei —
o Karo, wie kannst du nur schlafen dabei!
Pass auf — jetzt fliegt eine, du fauler Gesell,
dir schimmernd und glitzernd aufs zottige Fell.
Marlinchen — du kommst mir zu nahe heran,
ich bitte dich, halte den Atem an,
sonst platzen die Kugeln, denn schnell wie ein Traum
vergehen die Blasen aus Seifenschaum.

Klara Hohrath.

Vom Mäuslein Tunichtgut.

Von Helene Binder. Mit Bildern von Fedor Flinzer.

„Langschwänzchen“ war — ich sag' es gern —
das schönste Mäuschen nah und fern;
es war solch hurtiges Gesellchen,
es hatte solch ein weiches Fellchen,
solch zierlich-feinen, kecken Schwanz,
so schwarze Äuglein voller Glanz,
voll Klugheit, List und tapferm Mut:
Und doch war es ein Tunichtgut,
der seinem Mäusemütterlein
tagtäglich schaffte Angst und Pein.

Wenn Mutter Maus, wie sich's gehört,
die Kleinen Mäuseweisheit lehrt,
sie warnt vor ihren Feinden allen,
vor Kater Murr, der Köchin Fallen,
und alle Mäuslein ruhig bleiben,
die Lehren hinters Ohr sich schreiben,
da sitzt Langschwänzchen gähnend da:
„Das hör' ich gar nicht gern, Mama;
die dummen Fallen kenn' ich lange,
und mir ist nicht ein bißchen bange!“ —
Ging drauf fürsorglich Mutter Maus
nach Nahrung für die Kinder aus
und sagte streng: „Bleibt artig hier
und lauft mir ja nicht vor die Tür,
denn hier schleicht oft der Kater 'rum,
der bringt die zarten Mäuslein um“ —
da konnt' man doch, wandt' sie den Rücken,
Langschwänzchen vor dem Haus erblicken,
wie es ganz keck umherspazierte
und selbst ein Tänzchen wohl probierte. —
Wenn dann nach vieler Müh und Not
die Mutter bracht' zum Abendbrot
ein Roggenährlein, eine Rinde
und froh sein Teil gab jedem Kinde,
dann fragt mit mürrischem Gesicht
Langschwänzchen gleich: „Mehr gibt es nicht?“
Und rümpft das feine Näschen keck:
„Das mag ich nicht, ich möchte Speck,
Wurst, Talglicht oder süßen Kuchen,
und nächstens geh' ich das zu suchen.“
„Kind,“ mahnt die Mutter, „sei zufrieden,
und iß vergnügt, was dir beschieden,
schau, wie es den drei andern schmeckt,
komm, 's Tischlein ist für dich gedeckt!“
Da hat es schließlich sich gefügt,
doch schlecht gelaunt und mißvergnügt,
daß Mütterchen im stillen klagt,
und keinem recht das Mahl behagt. —

Na warte, Mäuslein Tunichtgut:
Die Strafe folgt dem Übermut!
Einst kam das Mütterlein nach Hause,
da tönte Weinen aus der Klause,

„Ach,“ riefen alle, „bist du da?
Langschwanz ist fort, ganz fort, Mama!
Ja, wirklich, und er läßt dir sagen,
hier könnte er's nicht mehr ertragen,
er wär' verständig nun und klug
und groß und tüchtig auch genug,
er wählte sich ein andres Haus,
ein schöneres und bessres aus
und suchte anderswo sein Glück,
hierher käm' niemals er zurück!“
„Törichtes Kind,“ sprach Mütterlein,
„wie wirst du solches Tun bereu'n,
du armes, dummes, kleines Ding!
Wißt ihr, wohin Langschwänzchen ging?“
„Nein, nein,“ so riefen die drei Kleinen
und fingen wieder an zu weinen,
und konnten nicht ihr Leid vergessen
und wollten nicht ein Krümlein essen
und schliefen mit dem Mütterlein
heut abend unter Tränen ein. —
Indessen hatte Tunichtgut
sein Heim verlassen wohlgemut.
„Halt,“ hatte er bei sich gemeint,
„im Nachbarhaus ist's fein, wie's scheint,
da finde ich gewiß ein Haus —
da geh' ich auf die Suche aus.“
Und als die Türe aufgegangen,
huscht er hinein ohn' großes Bangen,
spaziert die Teppichtrepp' empor
und schlüpft mit in den Korridor,
ja, bald darauf beim Lampenschimmer
hinein mit ins Familienzimmer.
Dort schleicht er leise und gewandt
zum Fenster, wo ein Vöglein stand,
sucht kecklich sich verstreutes Futter
und schmaust. Da tönt es: „Horch 'mal, Mutter,
glaubst du, daß Hänschen wach noch ist,
's klingt so, als ob eins Körnlein frißt?“
„Bewahre, Hänschen schlief längst ein;
es wird doch nicht ein Mäuschen sein?“
„Ein Mäuschen? Wirklich, ei der Daus!
Schnell, schlagt sie tot, die kecke Maus!“
O, wie Langschwänzchen da erschrickt,
als es die Feinde all erblickt!
Es läuft am Vorhang schnell empor,
dann huscht's am Fenster wieder vor.
„Da ist es, halt, ich hab' es schon,“
ruft 's Bübchen, doch es ist entflohn,
eilt blitzgeschwind der Türe zu
und ist im Nebenraum im Nu.
„Wie schad', hier haben wir kein Licht,
heut abend finden wir es nicht!“
„Doch stellt sogleich die Falle auf!“
sagt streng des Vaters Stimme drauf.
„Die Falle?“ ruft ein andrer aus,
„die suchten wir im ganzen Haus, —
die ist nicht da, wohl fortgekommen,
wer weiß . . .“ Langschwänzchen hat's vernommen,
da es ganz müde und erhitzt
tief unter einem Schranke sitzt.
Sein Herzchen klopft ihm zum Zerspringen;
wird ihm die Flucht denn wohl gelingen?
„Nie mehr geh' ich in jenes Zimmer,
die Menschen scheinen mir doch schlimmer,
als ich gedacht, doch hier ist's fein, —

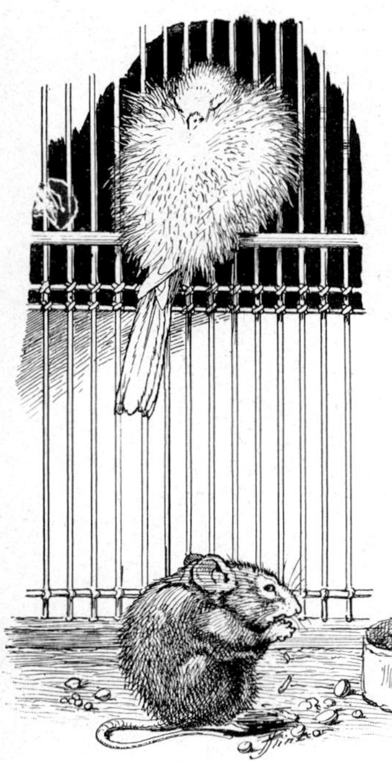

ein Spalt führt in den Schrank
hinein,
ein weicher Pelz fürs Bett
ist hier,
ja, solch ein Lager lob' ich mir;
da hab' ich's anders als zu
Haus,
und morgen such' ich was zum
Schmaus!" —

Frühmorgens wacht Lang-
schwänzchen auf,
„Ob Mutter ruft?" — es
wartet drauf —
„Ach nein, ich bin ja nicht
zu Haus,
ich wanderte doch gestern
aus —
ei freilich — hier ist's wunderschön,
nun will ich auf Entdeckung
gehn."
Aus seinem Schrank schlüpft
Tunichtgut
und sieht sich um mit keckem Mut,
streicht Fell und Schwanz und Bart sich glatt,
wie Mütterchen gelehrt ihn hat,
und schaut mit klugem Augenpaar
nach allem, was im Zimmer war.
Die Schränkekammer schien's zu sein,
nur Schränke gab es, groß und klein,
und just auf dem Schrank, da er ruhte,
sah er viel Töpfe stehn, viel gute —
wie stimmte das Langschwänzchen heiter,
der Klingelzug wird seine Leiter,
es klimmt empor, so schnell es kann,
und schaut das „Tischchen-deck-dich" an.
Die Töpfchen, die es da gefunden,
sind alle sauber zugebunden,
doch ritz ratz! ist 's Papier zernagt,
und 's Näschen drinnen ungefragt.
Hurra! da glänzt sein Leibgericht:
Talg — solche schöne dicke Schicht —
die über dem, was eingemacht,
die Hausfrau sorglich angebracht!
„Wie fein, das soll mir trefflich schmecken!"
Vergessen ist des Abends Schrecken,
das Mäuslein schmaust, solang es kann,
und dann sieht's rings die Töpfe an,
wie viele gleiche hier noch stehn! —
„Doch halt, was ist denn da zu sehn?"
So mitten drin steht's hoch und rund,
ganz oben ist ein Eingang — und
da drin auf einem sichern Fleck
liegt — 's ist kein Irrtum — feiner Speck!
„Den möcht' ich grade noch verzehren,
den hol' ich mir, wer will mir's wehren?
Es sieht zwar etwas ängstlich aus. —
Ei, Fallen gibt es nicht im Haus! —
Die Leute haben's ja gesagt,
ich fürcht' mich nicht; es wird gewagt!"
So spricht's und klettert in die Höh',
steigt keck hinein, o weh, o weh! —
Als es das Stückchen Speck verzehrt,
so Spieß an Spieß den Aufstieg wehrt,
mit Draht und Draht ist's rings umwunden!
„O weh, die Falle ist gefunden,
ich fand sie hier, ich arme Maus,
nun steck' ich drin und kann nicht 'raus!"
Am Morgen, als klein Tunichtgut
im Schranke wie ein Prinz geruht,
fuhr sein lieb Mütterlein, das brave,
erschrocken früh aus bangem Schlafe.
„Wie mag es meinem Kind ergehn?
Gleich will ich fort, und nach ihm sehn!"
Die klugen Äuglein emsig brauchend,
sorglich in jedes Eckchen krauchend,
geduldig harrend, bis es paßt,
und klüglich handelnd, ohne Hast,
schleicht unser Mütterlein gemach
der Spur des kecken Söhnleins nach,
und eilt, wie dies im flücht'gen Lauf,
die breite Treppe gleich hinauf.
Beim Vöglein sieht ihr Auge hell
ein Härlein von des Sohnes Fell.
„Halt," denkt sie, „hier ist er entflohn,
doch wo — wo ist mein lieber Sohn?
Ob er noch lebt? — Stöhnt's da nicht bang?
Das scheint mir ein bekannter Klang?
Vom Nebenzimmer drang es her, —
da — noch einmal? So klagt nur er —
wo ist er? — ich kann nichts erspähn,
mein Sohn ist nirgendwo zu sehn,
und doch — er seufzt — Kind, bist du hier?"
„Ja, ja, o Mutter, komm zu mir!
O, wär' ich nicht von dir gegangen,
nun sitz' ich hier und bin — gefangen!"

Im Augenblick — wie sagt er Dank! —
Sitzt Mütterlein mit auf dem Schrank.
Die hat kein einzig Wort gesprochen
von dem, was Tunichtgut verbrochen,
hat keinen Vorwurf ihm gemacht,
nur Trost gespendet mild und sacht,
und leis gesagt: „Kind, sei nicht bang,
im Wasser währt der Kampf nicht lang!"
„Ach," sagt der Sohn, der's wohl vernommen,
„mit mir wird's gar nicht dahin kommen,
mich findet niemand in dem Haus,
ich komme nie mehr hier heraus!" —
Da ward auch Mutter Maus ganz still. —
Dann, weil sie Lieb' ihm zeigen will,
streicht sie vom Fellchen — es ist bitter,
solch kleines Stellchen durch das Gitter,
und bringt zuletzt ganz traurig 'raus:
„Langschwänzchen, Kind, ich muß nach Haus!
Harr' in Geduld; wenn ich's vermag,
so wird dir noch ein Rettungstag!" —
Drauf holt des armen Mäusleins Mutter
ihm Körnchen von des Vögleins Futter,
auch Talg, sagt ihm manch zärtlich Wort,
küßt ihn durchs Gitter und eilt fort.

Nun war Langschwänzchen ganz allein.
O, diese lange Qual, die Pein!

Da nebenan im schönen Zimmer
piept, ach so froh! das Hänschen immer,
und ticktack, tick! sagt stets ein Ding,
das drüben überm Sofa hing.
Die Leute gingen ein und aus,
doch niemand sah die kleine Maus,
und niemand hört, was sich da regt
und wie so bang ein Herzchen schlägt!
Der Tag verging, es kam die Nacht,
der Morgen steigt herauf ganz sacht,
es dunkelt wieder, — bald ist's aus,
da — huscht das nicht wie eine Maus?
Wie eine? Nein, wie eine Schar.
Die Hilfe naht, 's ist offenbar!
Nacht ist es, still liegt das Gemach,
Langschwänzchen ist so matt, so schwach,
er fühlt nur, nah ist Mütterlein,
es kommt zu helfen, zu befrei'n.
Die Mäuseschar, sie kriecht zuhauf
an seiner Falle schnell hinauf,
und stemmt und klemmt und packet an
und sperrt und zerrt mit scharfem Zahn,
und biegt gar listig mit Geschick
ein jedes Spießlein klug zurück,
und endlich ruft es wie im Chor:
„Jetzt aufgepaßt, jetzt steig empor!"
Lieb Mütterlein beugt tief sich nieder
und zieht und zieht, da — lebt er wieder!
Da ist er frei, sein Leid ist aus,
und als es tagt, ist er zu Haus.

Doch wie kommt er nach Haus zurück?
Sein Sammetfellchen ohne Schick,
ganz ungepflegt der kleine Schwanz,
die schwarzen Äuglein ohne Glanz,
zerzaust, zerschlitzt, ganz wirr und kraus,
sieht er kein bißchen schön mehr aus.
Und doch konnt' für sein Mütterlein
kein Mäusekindchen schöner sein.
Denn jetzt ist Mäuslein Tunichtgut
zufrieden, folgsam, brav und gut,
der seinem lieben Mütterlein
ins Haus bringt eitel Sonnenschein.

Originalzeichnung von Paul Rieth.

Der kleine Hauptmann.

Stillgestanden die Kompanie!
Einjähriger Fritzchen — was feixen Sie?
Ich bitte mir's aus, im Dienst nicht zu lachen,
wir treiben hier lauter ernsthafte Sachen.
Wer keinen Ernst bei der Sache hat,
der ist kein echter, deutscher Soldat!
Den Bauch hinein und die Brust heraus —
Gefreiter Hänschen, wie sehen Sie aus!
Mit schmutzigen Händen und schmutzigen Schuh'n,
so wollen Sie Ihren Dienst hier tun?
Sechs Stunden ins Loch — Herr Unteroff'zier,
Sie führen ihn ab und melden's mir!
Ein deutscher Soldat hat reinlich zu sein,
in den Waffenrock, das merkt euch, Leute,
gehört kein schmutziger Kerl hinein!
Die Herrn Offiziere — genug für heute,
Rührt euch!

Anna Ritter.

Ottos Ferienreise.

Von W. Heimburg.

Mit Bildern von F. Müller-Münster.

Er wäre viel lieber mit den Eltern nach Tirol gefahren, wie der größere Bruder Fritz, aber Vater sagte: „Da muß der Otto erst größer werden; wie er jetzt ist, wär's um das Reisegeld schade. Er versteht das noch nicht und ist bei Großmutter weit besser aufgehoben."

Das war doch eigentlich recht niederdrückend für einen Sextaner. Nun wohnte Großmutter auch noch ziemlich fern von der Stadt, in der Otto mit seinen Eltern lebte, so weit, daß er nicht allein reisen konnte, wie die gute Mama meinte, und da hatte Großmutter geschrieben, sie wolle ihre treue Johanne schicken, die solle den kleinen Otto zu ihr bringen.

Otto in Begleitung einer Dienerin — das war noch niederdrückender!

Er hatte Großmutter noch nie gesehen. Sie wohnte in der Nähe von Magdeburg und war lange Jahre hindurch an ihr Haus gefesselt gewesen durch die Krankheit Großpapas, der nun leider tot war.

„Wie sieht denn Großmutter eigentlich aus?" fragte er seinen älteren Bruder Fritz.

„Weißt du," sagte dieser, „eine Großmutter sieht aus wie die andere — Großmütter sehen sich alle ähnlich," wiederholte er. „Sie haben alle weiße Haare und Spitzenhauben darüber, und lauter Runzeln im Gesicht, und sitzen im Lehnstuhl am Fenster und stricken Strümpfe für ihre Enkel. Und des Abends erzählen sie Märchen und bringen einen zu Bette, und wenn man mal klettern will, schreien sie vor Angst."

Ottos Mienen wurden bei dieser Beschreibung nicht heller. „Ich klettere aber doch!" sagte er trotzig.

Fritz antwortete nicht; er hatte zu viel zu tun mit dem Ausrüsten seiner Botanisiertrommel für die Reise.

„Und Märchen mag ich auch nicht," beharrte Otto, „und am liebsten möchte ich gar nicht hin."

Aber das letztere behielt er für sich, denn er hatte seinen Freunden in der Klasse schon zu viel von der „Reise" erzählt, die er machen würde.

Eines Abends kam dann Großmutters Jungfer an, und am anderen Morgen brachte Papa ihn und die Jungfer, die sehr lang und ältlich war und einen großen Pompadour am Arm trug, nach dem Bahnhof. Papa gab dem Schaffner ein Trinkgeld, damit er die Reisenden aufmerksam mache, wenn sie umsteigen müßten. Dann küßte er seinen Jungen: „Grüße die Großmama tausendmal von mir und leb wohl, mein Stift."

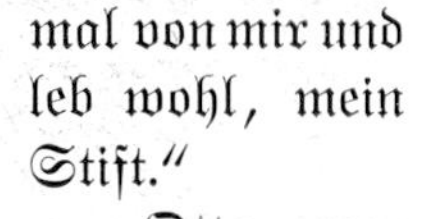

Otto war ganz benommen; Mama hatte so sehr geweint, als sie ihm Adieu sagte, und Papa hatte ihm ein blankes Markstück geschenkt, gerade wie damals, als er zum Zahnarzt gebracht wurde, und wohl hundertmal hatte er den Eltern versprechen müssen, sehr artig bei Großmama zu sein. Wenn nur die Reise erst überstanden wäre, sie gefiel ihm gar nicht. Erstlich fuhr er mit Johanne dritter Klasse, dann saßen noch größere Jungens vom Gymnasium mit im Coupé, die in die Ferien reisten und sich wie Erwachsene benahmen, er aber wurde beständig von Großmutters Johanne bemuttert. Bald sollte er stillsitzen, bald ein Tuch über die Kniee breiten, damit er sich nicht erkälte, bald etwas essen und bald ihre Fragen beantworten. „Mein Jung" nannte sie ihn, oder gar plattdeutsch „min söte Jung!"

Er schüttelte das Tuch ab, redete keinen Ton mit ihr und tat schließlich, als ob sie Luft für ihn sei.

Endlich kam Magdeburg in Sicht.

„So, mein Jung," sagte Johanne, „nun nimm mal deinen kleinen Tornister und setz den niedlichen Hut auf, nun kommen wir nach Magdeburg und müssen umsteigen; und daß du dich ordentlich festhältst, mein Jung, an meinem Rock, damit du nicht verloren gehst,

ich kann dich nicht an die Hand fassen, weil ich deinen lütten Koffer und meinen Regenschirm tragen muß."

Sie zog Otto, den Sextaner, zu sich heran, hielt ihn mit ihren Knieen fest, zupfte an seiner blauen Matrosenbluse, strich ihm die Haare unter dem Strohhut zurecht und gab ihm plötzlich einen schallenden Kuß. „Bist doch ein süßen Jungen," sagte sie dazu, „paß man auf, wir werden uns schon vertragen, wir beide."

Die Gymnasiasten, die am Fenster saßen, fingen an zu kichern, und Otto ballte die Fäuste in seinen Hosentaschen. Das war ja eine abscheuliche Person, diese Johanne!

Otto wollte nicht mehr mit ihr reisen, er kletterte, als man auf dem Bahnhof angekommen war, aus dem Wagen und schlich sich beiseite! Mochte Johanne bleiben, wo sie wollte, diese eklige Johanne, die sich jetzt mit den Ellenbogen durch das Gedränge Bahn brach, und sicher annahm, ihr Schützling hänge an ihren Rockfalten.

Ein Weilchen noch sah Otto den mit knallroten Rosen geschmückten Hut über der Menge ragen, dann war sie verschwunden, zu seiner großen Erleichterung.

„Ich mag nicht bei ihr bleiben, ich kann ganz allein fahren," sagte er trotzig, während er vorwärts gestoßen und gedrängt wurde, eine Treppe hinunter, in einen mit weißen Fliesen ausgelegten Gang hinein, dann wieder eine Treppe hinauf auf einen Bahnsteig, der genau so aussah, wie der vorige. Dort standen zwei Züge und er sah von weitem, wie Johanne herumsprang und ihn suchte.

„Mag sie da unten einsteigen — ich gehe in ein anderes Coupé," nahm er sich vor. Sie hatte ihm gleich bei der Abfahrt auf seine Bitte sein Billett anvertraut, das hielt er jetzt krampfhaft in der Hand und kletterte in den nächstbesten Wagen, setzte sich in die entgegengesetzte Ecke und verharrte dort, von einem sehr dicken Herrn fast verdeckt, mucksmäuschenstill und unter großem Herzklopfen. Im nächsten Moment kam auch schon der Schaffner und schlug die Türe zu, denn der Zug setzte sich bereits in Bewegung. Otto sah auf den Perron hinaus und erblickte Johanne mit gerungenen Händen im Vorüberfahren.

„Nun hat die mich gesucht und ist sitzen geblieben," dachte er voll Vergnügen, „nun komme ich allein an. Ich werde schon hinfinden, und ihr ist's recht, warum war sie so aufdringlich."

Auf einmal kam der Schaffner und verlangte die Fahrkarten zu sehen. Otto reichte die seine.

„Du bist ja im verkehrten Zuge, du fährst nach Berlin," sagte der Schaffner. „Bist du ganz allein, Kleiner?"

Otto blieb vor Schreck der Mund offen.

„Aussteigen auf der nächsten Station," erklärte der Mann, der es eilig hatte, und klappte die Türe zu.

Nun fragten und bedauerten ihn die Leute im Coupé, ließen sich das Billett zeigen, gaben ihm gute Ratschläge, und eine junge Frau fing an zu schimpfen auf die Person, die das Kind so schlecht beaufsichtigt hätte. „Nein, wenn das mein Kind wäre!"

Otto beschlich nun doch ein leises Grauen vor dem Alleinsein. Als die Station kam, der Zug hielt, der Schaffner ihn aus dem Coupé lotste und den Inspektor über den kleinen Reisenden aufklärte, hätte er fast geweint. Aber ein Sextaner weint nicht! Er biß die Zähne aufeinander und sah sich auf dem kleinen Bahnhof um. Ein paar Bauern waren ausgestiegen, ein dicker Herr im Staubmantel ging an ihm vorüber dem Ausgang zu und stieg jenseits des Staketzaunes in einen offenen Jagdwagen mit schönen braunen Pferden bespannt; niemand war mehr auf dem Perron als der Mann mit der roten Mütze, der sich mit einem Herrn unterhielt.

Otto stand da ohne sich zu rühren und wartete. Man hatte ihm gesagt, er müsse mit dem nächsten Zuge wieder nach Magdeburg zurück. Wie lange würde er hier stehen müssen?

„Na, kleiner Mann," sagte der Inspektor, der endlich sein Gespräch beendet hatte. „Da, setze dich nur in das Wartezimmer, du hast drei Stunden Zeit; die Züge, die zunächst kommen, sind Schnellzüge und halten hier nicht, aber dann kommt ein Personenzug. Und ein Billett mußt du dir kaufen, vergiß das nicht, hast doch hoffentlich Geld?"

„Ja, wenn's nicht mehr kostet als eine Mark," stotterte der arme kleine Bursche.

„Da mußt du vierte Klasse fahren. Setze dich nur einstweilen ins Wartezimmer, es fängt an zu regnen."

Da saß er nun und kam sich so verlassen vor. Der Regen schlug an die Fenster, und die Kellnerin hinter dem Büffett war eingeschlafen. O, und er war so schrecklich hungrig. Nach einer langen Weile traten einige Menschen in das Zimmer, tranken und aßen etwas; es kam ein Zug, der nach Berlin ging, dann wurde es wieder still.

Nein, wie hungrig er war! Nun wurde es dämmrig und Otto saß da noch immer, krampfhaft das Billett und die Mark in der Hand haltend. Das Fräulein am Schenktisch war aufgewacht und trank Kaffee. Otto verfolgte jede Bewegung ihrer Lippen. Ach, wenn er doch auch solch große Tasse und eine Buttersemmel dazu hätte, oder wenn jetzt die Johanne da wäre mit dem häßlichen Pompadour, in dem alle die guten Sachen steckten, die er verschmäht hatte!

Er begann jetzt doch ganz leise und still zu weinen, und endlich schlief er darüber ein; ganz fest, furchtbar fest schlief er.

Von einem Rütteln und Schütteln wachte er endlich auf und blinzelte unter den Wimpern hervor; über ihm zitterte eine blau verhängte Lampe, er selbst lag auf einer Bank lang ausgestreckt und Johanne, Großmutters Johanne, saß neben ihm und sah ihn groß an.

„Guten Morgen, Herr Ausreißer," sagte sie, „nee so was! Mich dauert man bloß die alte gute Madam, die sich nun vier Wochen lang mit dir quälen soll," und dabei deckte sie ihn sorgfältig mit dem Tuche zu.

Otto schwieg muckstill.

„Verwundere dich nur," fuhr sie fort; „in einer halben Stunde sind wir in Soltburg, wir fahren all durch die Solter Heide."

„Wie hast du mich denn gefunden?" wagte Otto endlich zu fragen.

„Ja — wie? Das möchtest du wohl wissen, mein Jung? Es gibt ja eben noch Telegraphen, mich dauert nur meine alte Madam," betonte sie wieder.

„Johanne —"

„Was?"

„Ich möchte nicht nach Soltburg — ich möchte nach Haus — ich habe Angst vor Großmutter —"

„Du bist ein dummer Junge! In der ganzen Welt gibt's nichts Besseres wie die alte Frau Rätin, und wer in ihr Haus sein darf, hat den Himmel auf Erden — das heißt, wenn man artig ist. Und ich hab' ihr doch nicht telegraphiert, daß du weggelaufen bist, sondern nur, daß wir den Zug verpaßt haben."

In Ottos Seele entstand etwas wie Bewunderung für Johanne — sie verklagte ihn nicht bei Großmutter. Das hatte er kaum zu hoffen gewagt; das war eigentlich schneidig.

„Nu paß auf, jetzt sind wir gleich da," sagte sie.

Wie war er doch so müde, der Otto, als er neben Johanne durch die dunkeln Bahnhofsanlagen ging, in die noch dunklere Stadt hinein! Eine Uhr schlug Zwölf und der Nachtwächter schrie durch die Stille: „Zwölf ist die Glock!" Kein menschliches Wesen auf der Straße, kein Fenster mehr helle, nur die Gaslaternen flackerten im Winde und Johannens Schritte hallten wider in den engen Gassen.

Endlich kam eine große dunkle Masse in Sicht, das war die Marienkirche, und hinter ihr läge das Haus der Großmama, sagte Johanne. Ein Käuzchen schrie vom Turm, und in den Bäumen, welche die Kirche umstanden, rauschte der Wind.

„Da, schau — ob du's wohl wert bist, du unnützer Jung? Meine Madam hat Licht —" sagte Johanne und zeigte auf zwei weiß verhängte, hell erleuchtete Fenster. „Die hat heilig auf dich gewartet, und ist nun Glock — Zwölf." Und sie packte ihren Schützling an der Hand und zog ihn ein paar Stufen empor zu der Haustür, und dort läutete sie, daß es lärmend im Hause widerhallte.

Und wie die Tür aufging, da stand schon eine — ja, war denn das nicht Mama? Wie ein warmer Hauch kam es über die aufgeregte Knabenseele. Der dumme Fritz, was hatte denn der nur gesagt von der Großmutter? Da stand ja beinahe das Ebenbild Mamas, nur das Haar ein bißchen lichter, weißlicher, und die Gestalt nicht so schlank und rank mehr wie Mama, aber sonst zum Verwechseln.

„Großmama!" stammelte er in ihren Armen, und dann fing er an zu weinen.

„Johanne, der arme kleine Kerl ist übermüde," sagte die alte Dame und streichelte seinen Kopf, „und vielleicht auch hungrig. Mein Herzensjunge, sag, willst du essen, oder gleich schlafen? So ein Malheur auch, den Zug zu verpassen — bist eben nicht aufmerksam gewesen, Johanne!"

„Ja, Frau Rätin," antwortete das Mädchen, „man wird schon wacklig im Kopfe, aber ich denke, er wird wohl ein büschen essen wollen, der Jung."

Oben in Großmutters Stübchen gab's zu essen. Johanne strich ihm die Butterbrote und goß ihm die Milch ein, und Großmutter schalt immerzu ein bißchen mit ihr, und dann blieb ihm der Bissen im Munde stecken, so schämte er sich.

Endlich brachte ihn Großmutter zu Bette. „Schlaf schön, mein Herz," sagte sie, „morgen erzählst du mir von daheim, heute sind wir zu müde." Sie küßte ihn und ging in ihr daneben liegendes Schlafzimmer.

Aber schlafen konnte Otto noch nicht. Er hatte sich doch eigentlich mit einer Lüge Großmutters freundlichen Empfang erkauft, das heißt — Johanne hatte gelogen, und er hatte dazu geschwiegen. Großmutter würde gewiß böse sein, wenn sie den Sachverhalt erführe, und mit Recht, und nun würde er keine rechte Freude haben an dem Besuch bei Großmutter, die ihm so gut gefiel, weil Mama ihr so ähnlich sah.

Ruhelos warf er sich in seinem Bettchen umher, verschlief sich und wachte erst auf von einem Gespräch, das Großmama im Nebenzimmer mit Johanne führte. Großmama war noch immer böse auf Johanne und sagte, sie hätte vor Angst bei der Verspätung ihren Herzkrampf gehabt. Dann stellte sie Johanne vor, was alles hätte entstehen können, wenn Otto in seiner Unerfahrenheit verunglückt oder schlechten Menschen in die Hände gefallen wäre, und Gott weiß was noch!

„Ja, Madam, das alles hab' ich mir selbst gesagt, Sie haben ganz recht," antwortete Johanne demütig.

„Mein Vertrauen ist recht erschüttert, Johanne, Sie haben viel zu tun, um es wieder zu gewinnen," hörte Otto die Großmutter zum Schluß sprechen.

Du mußt es sagen, du mußt sagen, daß du schuld bist, flüsterte es in Ottos Seele. Aber wie sich gleich darauf Großmutter über ihn beugte, wie sie nachher beim Kaffee neben ihm saß, und ihm so schöne, schöne Bleisoldaten aufgebaut hatte, dazu einen ganz wirklichen Wagen, in den ein lebendiger Ziegenbock eingespannt werden sollte, der drunten im Stalle zu finden sei, da sank ihm der Mut. Wie, wenn Großmama erzürnt ihm alles wieder wegnähme? Blaß und still saß er da, und sein Dank war kleinlaut.

„Bist du krank, Otto? Hast du Kopfweh?" fragte Großmama.

Er schüttelte den Kopf und sah wehmütig und scheu auf seine Schätze nieder.

Einmal kam auch Johanne in die Stube, da sah er, daß sie verweinte Augen hatte. Nein, es war gräßlich! Er mochte Mittags gar nicht essen, obgleich es Eierkuchen mit geschmorten Kirschen gab, und heilfroh war er, als Großmama den „Nicker" machte, von dem Johanne gesprochen hatte. Da lief er im Garten umher und saß dann still im dunklen Stall bei dem hübschen Ziegenbock, der ihm gehören sollte, und über den er sich doch nicht freuen konnte.

Nach dem Kaffee ging Großmutter mit ihm spazieren. Er trottete still neben ihr mit gesenktem Haupte und antwortete kaum auf ihre Fragen.

„Schau einmal," sagte sie nach kurzem Wandern und blieb stehen, „wer ist das?"

Und als Otto die Augen hob, sah er das Standbild eines Mannes im schlichten Uniformrocke, den Kürassierhelm auf dem Haupte und die Hände auf den Pallasch gestützt. „Bismarck!" stammelte er mit aufleuchtenden Blicken.

„Nach dem bist du genannt, Kind — weißt du das?"

„Ja, Papa hat es mir gesagt."

„Und was steht unten am Sockel zu lesen?"

„Wir Deutschen fürchten Gott, sonst nichts in der Welt," las der Junge.

„Das ist ein herrliches Wort für ein ganzes Volk," sprach die Großmutter, „und der, der es sagte, übte es auch für sich selbst. Sieh ihn an, wie er da aufrecht, fast trotzig, steht! Der kannte keine Menschenfurcht, der hätte keine Lüge sprechen, keine fremde Lüge gut heißen können, der hätte die Wahrheit gesprochen, und wäre eine Welt darum versunken. Mache ihm Ehre, deinem großen Namensgenossen!"

Otto antwortete nicht. Er ging schweigend mit der Großmutter weiter zum Kirchhof, wo Großvater lag. Dort nahm ihn Großmutter bei der Hand. „Der dachte auch so, Otto, der war ein guter Mensch!" sagte sie und trocknete eine Träne, die ihr an den Wimpern hing.

Als eine halbe Stunde später die Großmama in ihrer Stube saß und die Zeitung las, teilte sich der Türvorhang und Otto kam über die Schwelle. Auf den Zehen schlich er hinüber zur Großmama, ganz blaß sah er aus.

„Großmutter," sagte er, „nimm den Bock nur wieder fort und die Soldaten auch — ich habe dir nicht die Wahrheit gesagt, weil ich Angst vor dir hatte — — ich bin der Johanne in Magdeburg davon gelaufen, weil ich mich mit ihr schämte; und sie hat so Angst gehabt um mich und hat noch obenein Schelte gekriegt."

Die alte Dame sah ganz entsetzt aus. „Aber, Kind — Kind!" stotterte sie, „wie unglücklich hättest du uns alle machen können!"

„Schilt mich nur lieber, Großmama."

„Nein — du bereust ja! Ich bin froh, daß du gekommen bist und hast mich aufgeklärt."

„Gar nicht böse bist du?"

„Wenn du mir versprichst, die Wahrheit immer hoch zu halten —"

„Ja, Großmama! Und Johanne will ich um Verzeihung bitten."

Eben trat sie ein. „Madam, soll ich für den Jungen mal Stippstuten backen?"

„Wenn du ihn wert hältst solcher Ehre."

Da lief Otto zu ihr hinüber. „Johanne, sei wieder gut!"

„Ih ja — na — Herrjeh — so schlimm war das ja nicht. Nee, nee, und ich wußt' ja, daß du's Großmutter sagen würdest, ich kenne doch meiner Frau ihre Art, die ist gut! — Ja doch, ja doch — und morgen früh kriegst du Stippstuten, mein Jung."

Otto lief aus der Stube und spornstreichs aus dem Hause. Als Johanne ihn zum Essen rufen wollte, da fand sie ihn auf dem Platz vor dem Bismarck stehen, und unverwandt sah er hinauf in die Züge des größten deutschen Mannes.

Die Geburtstagsmessung.

Wohlan, bald hätten wir's vergessen:
Da heute dein Geburtstag ist,
Marie, so wollen wir doch messen
das Stück, das du gewachsen bist.

Hier an der Türe ist das Zeichen
vom letzten Jahre! Nun gebt acht:
Sie wird ein Stücklein weiter reichen
als da dies Zeichen ward gemacht.

Nun komm, Marie! Wie zur Parade
befohlen hin sich stellt ein Mann,
so steh recht still und halt dich g'rade!
Wir legen jetzt das Richtscheit an.

O seht, o seht, was für ein Ende
sie wuchs in einem einz'gen Jahr!
Wenn es nicht deutlich vor uns stände,
nicht glauben würden wir's, fürwahr.

Man ahnte wohl etwas dergleichen,
weil sie aus allem wuchs heraus,
doch nicht so viel! Das neue Zeichen
nimmt sich recht überraschend aus.

Ei nun, du brauchst nicht bang zu werden,
was machst du denn für ein Gesicht?
Hübsch ist es, groß zu sein auf Erden —
nur eine Riesin werde nicht!

J. Trojan.

Der Bär und der Haarschneider.

Märchen von Agnes Harder. Mit Bildern von Paul Neumann.

Uff, ist das heiß," stöhnte Meister Petz. „In diesem Jahre war der Winter so kalt, daß die Steine gefroren sind, bis in den Erdboden hinein, und mein Pelz wurde so dick wie das Stroh über den Kartoffelmieten. Und nun ist der Sommer so heiß, daß der Waldsee austrocknet, und man nicht einmal baden kann. Aber die Winterhaare fallen nicht aus, und meine Zunge hängt schon einen halben Meter zum Halse heraus."

Die Bärin antwortete nicht, denn sie hatte mit den Kindern zu tun. Die lagen beide in der Ecke der Höhle auf dürren Blättern und Moos, und die Mutter machte sie sauber und leckte sie ab. Als sie damit fertig war, brummte sie: „Gestern habe ich einen Bartschneider gefressen. Er wanderte durch den Wald und sang. Auf dem Rücken trug er ein Ränzel, darin war das Brenneisen und die Pomadentöpfe. Ich hatte solchen Heißhunger, daß ich das Ränzel mit herunterschlang. Nun drückt mich das Brenneisen im Magen, und die Pomade hat mir übel gemacht."

„Das ist dir ganz recht. Sollen Mann und Frau nicht alles teilen? Ich brachte dir doch auch den halben Bienenstock. Die Bienen wollten mich stechen, aber mein Pelz ist zu dick. Du aber bist ein Gierschlung."

„Dafür muß ich auch die beiden Kinder nähren." —

Damit legte sich jeder in seine Ecke, duckte den mächtigen Kopf auf die Pfoten und schlief ein. Aber die Sonne schien so heiß, daß die Bärenhöhle der reine Backofen war. Die Zunge von Meister Petz hing ganz weit aus dem Halse heraus, und die Schweißtropfen liefen so schnell an ihm herunter, daß ein kleines Bächlein aus der Höhle abfloß, so schwitzte er. Und auf einmal stand er auf, schüttelte sich und brummte: „Weib, Weib, warum hast du den Haarschneider gefressen! Er hätte mir den Pelz scheren können. Nachher hätte er auch noch geschmeckt."

Da brummte die Bärin: „In der Stadt hinter dem Walde gibt es noch viele Haarschneider. Lauf hin und laß dich scheren, wenn es dich juckt. Und nun laß mich zufrieden. Ich muß das Brenneisen verdauen."

Da stand der Bär auf, schüttelte sich und trollte sich in den Wald. Die Sonne stand schon ein wenig tiefer, aber noch wagte sich kein Tier aus dem Schatten hervor, so heiß war es, und die Blumen waren alle welk geworden. Wenn aber ein Schweißtropfen von der Zunge des Bären auf ein Blümlein fiel, dann richtete es sich gleich auf und dachte, es regnete. Meister Petz aber stöhnte. Er schwitzte alles Fett aus, was er sich mühsam gesammelt hatte. Und ein richtiger Bär muß so fett sein wie ein Mastschwein.

Als der Wald zu Ende war, richtete er sich auf den Hinterpfoten auf und hielt Umschau. Da sah er die weiße Landstraße, und die roten Dächer des Städtchens, und den Kirchturm. Da mußte ein Bartschneider wohnen. Er trollte nun in seinem Schütteltrab die Landstraße entlang, und die Männer und Frauen, die Heu machten, schrieen laut auf und ließen die Harken fallen, und als er an das Tor kam, stieß der Wächter ins Horn, als wäre der Feind da, und wie er durch die Gasse lief, fingen die Kinder an zu heulen, die da ihre Kreisel trieben, und die Mädchen legten das Nähzeug fort und schlossen die Fenster hinter den Geranienstöcken, und es war ein Entsetzen.

Aber der Bär kümmerte sich um keinen, und als er um die Ecke bog, sah man nur noch die Tropfen Fett, die er ausgeschwitzt hatte. Die dampften auf den Steinen.

Hinter der Straßenecke wohnte der Haarschneider. Der stand gerade vor seiner Tür und seine drei Lehrjungen saßen im Laden und drehten Däumchen. Denn der Haarschneider war ein armer Teufel, und sein Geschäft ging schlecht. Ein jeder in dem kleinen Städtchen schnitt sich selbst den Bart, und die Haare schnitt einer dem anderen, also, daß nur am Sonntag der Herr Bürgermeister kam und sich rasieren ließ. Davon aber konnte der Haarschneider nicht leben, und seine sieben Kinder auch nicht. Ja, wenn er noch jeden Tag hätte einen Zahn ziehen können! Aber daran war kein Gedanke. Der Haarschneider sah also recht bekümmert drein, als Meister Petz auf ihn zukam. Aber wie er den Bären erblickte, erwachte plötzlich sein Hasenherz. Mit einem Satz sprang er in den Laden zurück und rief: „Alle Mann an das Rasiermesser!" Die drei Lehrjungen, die Däumchen drehten, rissen die Augen auf und wollten gerade Reißaus nehmen. Da erhob der Bär seine Tatze und brummte: „Wenn du mir den Pelz scherst, ehe die Sonne untergeht, so bist du ein reicher Mann."

Da blieb der Haarschneider stehen, als wären seine Füße angewurzelt, und zitterte wie Espenlaub. Aber er dachte an seine sieben Kinder und sagte: „Euer Hochwohlgeboren, Hochedlen, Hochgewaltigen —"

Weiter kam er nicht. Der Bär hatte sich auf den Sessel vor dem Spiegel geworfen, daß es krachte, und das rote Kissen sofort einen gewaltigen Fettfleck bekam, und sagte: „Schnell — oder —" und er zeigte seine Zähne, und seine Zunge hing ihm zum Halse heraus.

Da fing eine Arbeit an, wie sie der Laden des Haarschneiders noch nicht gesehen hatte. Der Meister holte seiner Frau die Badewanne aus der Hinterstube, in der sie gerade ihr siebentes Kind baden wollte, und die drei Lehrjungen mußten Seifenschaum schlagen. Dann aber seifte der Haarschneider den Bären ein. Es war eine schwere Arbeit und der Meister stöhnte. Der Bär aber brummte voll Behagen und sah in den Spiegel, und als sein ganzer Pelz eingeseift war, da schmunzelte er und sagte: „Nun sehe ich gerade so aus wie mein Herr Vetter, der Eisbär."

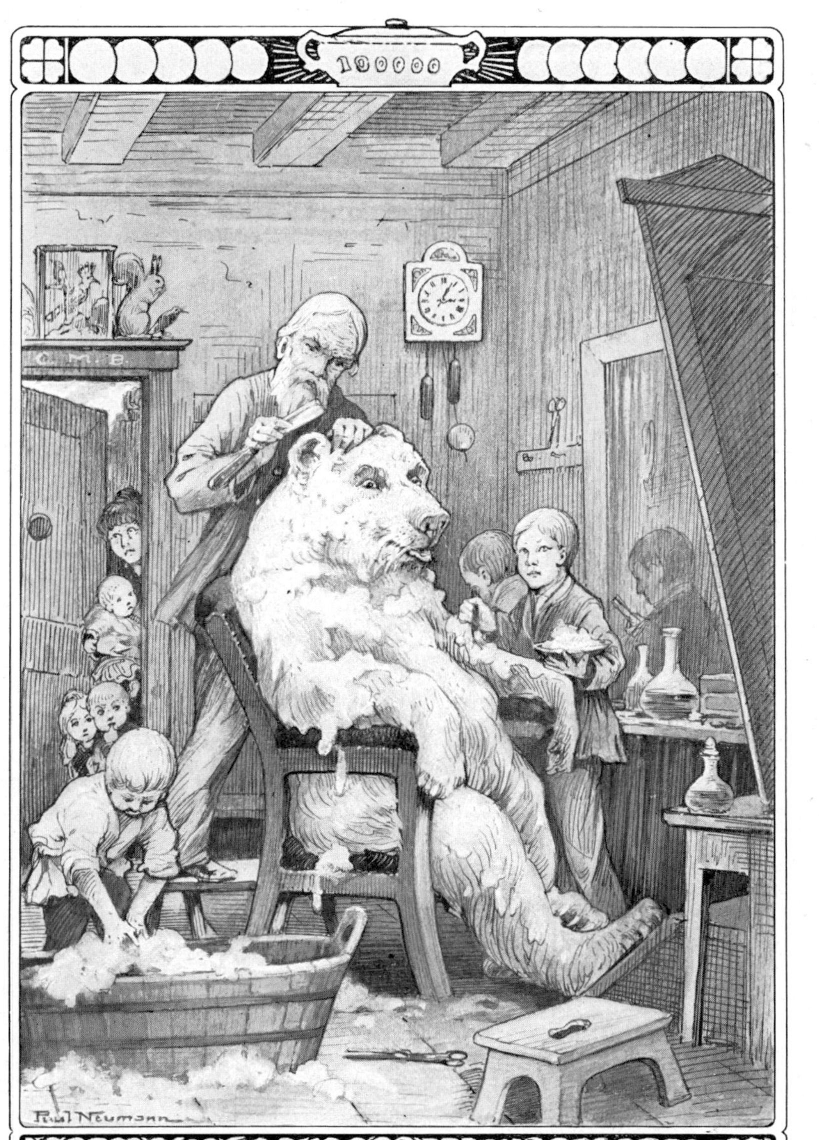

Und der Haarschneider sagte: „Wenn Euer Hochwohlgeboren, Hochedlen, Hochgewaltigen erlauben, so möchte ich mich ein wenig verpusten."

Es war aber kein Stückchen Seife mehr im Laden. Alles saß in des Bären Zottelpelz.

Da gab der Haarschneider seinen drei Lehrjungen alle Rasiermesser, die er hatte, und sie mußten sie schleifen, eins nach dem anderen. Und er nahm das längste und trat damit an den Spiegel zum Bären, der ein kleines Schläfchen gemacht hatte, weil ihm so behaglich war in dem Seifenschaum. Als er nun die Augen öffnete, und er sah das Menschlein mit dem scharfen Messer dicht an seinem Kopf, da schüttelte er seine gewaltigen Tatzen und brummte: „Du mußt wissen, daß ich sehr kitzlig bin. Wenn du mich auch nur ein wenig schneidest, so fresse ich dich und deine sieben Kinder zum Vesper."

Da fing der Haarschneider an, gerade an der kitzligsten Stelle, um die Ohren. Der Pelz war aber so dick, daß es war, als wolle man mit einer Stricknadel durch ein Fuder Heu, und das Messer war gleich stumpf.

Da schrie der Haarschneider den Lehrjungen zu: „Schleift, schleift! Es geht ums Leben!"

Und sie schliffen, daß ihr Schweiß auf den Schleifstein rollte, und sie nicht einmal zu spucken brauchten, und der Meister brauchte fast noch mehr Messer, als sie alle drei schleifen konnten. Der Bär aber grunzte zufrieden, als der Zottelpelz von seinem Kopf abging wie eine dicke Winterkapuze, und Brust und Rücken frei wurden, und so viel Haare auf der Erde lagen, daß sie dem Haarschneider und den Lehrjungen bis an die Kniee reichten. Nur als das allerletzte Messer vom vielen Schleifen ein wenig schartig geworden war, und er dem Bären in den Schwanz schnitt, daß ein Blutströpflein kam, gab ihm der einen leichten Schlag, der riß gleich den Ärmel aus des Haarschneiders Joppe.

Dann besah sich der Bär im Spiegel, wie er so schön braun und glänzend war, richtete sich auf den Hinterbeinen auf, wackelte hin und her und brummte: „Nun sollst du deinen Lohn haben. Komm mit in meine Höhle."

Dann gab er den drei Lehrjungen jedem einen Nutzkopf zum Zeichen seiner Zufriedenheit und sagte zum Meister: „Steig auf!"

„Euer Hochwohlgeboren, Hochedlen, Hochgewaltigen, ich möchte lieber zu Fuß gehn," stammelte der Haarschneider.

„Steig auf!" schnauzte ihn der Bär an. Da stieg

er auf und ritt auf dem Bären dem Walde zu. Aber die Kinder ließen ihre Kreisel stehen und liefen ihm nach, und die Mädchen bogen sich so weit aus dem Fenster, daß sie die schönsten Blüten von ihren Geranienstöcken abbrachen, und alle wollten mit, auch die Heumacher, die gerade auf ihren vollen Fudern vor dem Tor hielten. Aber der Torwart erlaubte es nicht und zog die Kette vor und ließ niemand durch, als Meister Petz und den Haarschneider. Bei dem lachte das eine Auge. Das andere aber weinte.

Als sie nun in den Wald kamen, ging die Sonne gerade unter, und die Vöglein sangen, und die Tiere waren aus ihren Schlupfwinkeln hervorgekommen. Vor der Bärenhöhle aber spielte die Bärin mit ihren beiden Kleinen. Die hatte sie gerade im Maul in die Abendkühle getragen. Da kam der Bär an, und als sie den Haarschneider auf seinem Rücken sah, richtete sie sich auf und witterte und sagte: „Wir wollen ihn teilen."

Da schüttelte Meister Petz seinen dicken Kopf und sagte: „Es ist mein Haarschneider. Den darfst du mir nicht auffressen." Und ging in die Höhle und scharrte die Blätter und

das Moos aus der Ecke, auf dem die Kleinen schliefen. Da stand da eingegraben ein ganzer Topf voll Goldstücke.

„Nimm so viel du tragen kannst," brummte der Bär. Das ließ sich der Haarschneider nicht zweimal sagen, und er machte einen Bückling und fing an: „Euer Hochwohlgeboren, Hochedlen —"

Aber der Bär winkte mit der Tatze und zeigte nach dem Ausgang der Höhle. Da machte sich der arme Teufel davon. —

Wenn du aber durch das kleine Städtchen gehst, mit den roten Dächern und dem spitzen Kirchturm, liebes Kind, dann kommst du hinter der Ecke an einen Laden, über dem steht: „Zum schwitzenden Bären". Und im Schaufenster steht ein ausgestopfter Bär, der schlägt Seifenschaum. Das ist das neue Haus des Haarschneiders, der nun ein reicher Mann ist, denn jeder will einmal auf dem Stuhl mit dem Fettfleck sitzen, auf dem der Bär gesessen hat, und die drei Lehrjungen sind lange Gesellen, und wenn sie den Bart abnehmen, erzählen sie von dem großen Abenteuer, und wie der Bär einem jeden von ihnen zum Abschied einen Nutzkopf gegeben hat.

Die Puppentaufe.

Hedwig nimmt der Mutter Jacke,
Bobby greift zur Haube flink:
Bobby ist Frau Aschenköster,
Hedwig ist Frau Piepenbrink.

Wollen ihre Puppen taufen,
die schon in der heil'gen Nacht
Christkind aus dem schönen Himmel
ihnen hat ins Haus gebracht.

Und jetzt ruft der Kuckuck wieder:
Ja, zu taufen ist es Zeit.
Mutter Grete ist der Pastor
in dem langen, schwarzen Kleid:

Spritzt den kleinen Puppenkindern
kaltes Wasser ins Gesicht,
heißen Lieschen jetzt und Lenchen,
bleiben tapfer: weinen nicht.

Doch nun geht's zur Schokolade;
festlich ist der Tisch gedeckt,
der Herr Pastor nimmt die Kanne:
Wie das schleckt, hei, wie das schmeckt!

Und die beiden Puppenkinder
sitzen auf der Mütter Schoß,
trinken Tröpfchen, naschen Bröckchen,
sind getauft: sie sind jetzt groß.

Der Herr Pastor schneidet Kuchen,
füllt die Tassen auf den Wink,
lustig schmaust Frau Aschenköster,
strahlend schmaust Frau Piepenbrink.

L. Rafael.

Frühlingsträume.

Der Anger grünt, vom Weidenbaum
die Blütenkätzlein wehen
und — Trudel hör! — am Waldessaum
sah ich Himmelsschlüss'lein stehen."

„Geschwind dann, Michel, hinaus auf die Au,
wo die gelben Blumen spriessen:
's ist eine drunter, — ich weiss es genau —
die kann den Himmel erschliessen!"

Sie schleichen sacht mit eiligem Schritt
hinweg aus der dumpfen Stuben:
das blonde Schwesterlein kann kaum mit,
so hüpfen die Füsslein dem Buben.

„Eine goldene Kron' und ein schneeweiss' Pferd!
Wird mir's Sankt Michel wohl schenken?"
„Musst ihn fein bitten, auch um ein Schwert
und silbernen Zügel zum Lenken;

Ich wünsch' mir aus all der Herrlichkeit
nur einen Stern vom Himmel." —
„Ja, Trudel, und wir reiten zu zweit
durch die Welt auf meinem Schimmel."

„Schau, Michel, am Turm eine Schwalbe schwirrt
und die andre baut schon am Neste."
„Horch, Trudel, im Wald der Tauber girrt
und der Fink schlägt im Geäste." —

Die gelben Blüten, sie duften so fein, —
wie die Kinder sich emsig bücken!
Die Sonne gab ihren hellen Schein;
wie wurden sie müde vom Pflücken! —

Sie setzten sich ins junge Moos,
keine Blume war mehr zu finden,
sie lagen alle in Trudels Schoss,
zwei Kränze tat sie draus winden:

Und jedes drückt sich einen ins Haar,
sie rücken zusammen und harren
und schliessen die Äuglein und sinken gar
verschlafen ins Gras und die Farren:

Die Händlein verschlungen, Wang' an Wang'. —
Leis rauschte der Wind in den Bäumen,
die Sonne ging über'n Waldeshang
und gab ihnen seliges Träumen.

Therese Dahn.

Originalzeichnung von G. A. Stroedel.

Woher der Schnee sein weißes Kleid hat!

Von Klara Reichner. Mit Bild von Fritz Reiß.

Daß unser liebes kleines Schneeglöckchen uns Jahr für Jahr den Lenz einläutet, wenn draußen noch der Schnee liegt, wissen wir ja alle. — „Sommernarr!“ heißt man es deshalb hoch im Norden, weil der arme Narr oft im tiefen Schnee steckt, und jämmerlich dort frieren muß in seinem luftig-weißen Sommerkleidchen.

Warum es aber die einzige von allen Blumen ist, die der böse, rauhe Winter schont und ruhig blühen läßt, noch ehe der Frühling wirklich da ist, — das laßt euch erzählen!

Als nämlich unser Herrgott einst die Welt erschuf und die Erde reich mit Bäumen, Gras und Blumen zierte und ihnen ihre eigene Farbe gab, da schuf er ganz zuletzt den Schnee. — Der sollte sich die Farbe selber suchen; — kam er doch überall umher!

Da ging er nun und suchte, und weil er eitel war, und gern ein recht schönes Kleidchen haben wollte, sah er sich zuerst nach den schönsten Farben um.

Wie herrlich leuchtete ringsum das hoffnungsvolle, frische Grün!

Ei, das gefiel ihm!

„Du, sei so gut,“ sprach er deshalb zum grünen Gras, „und gib mir was von deiner schönen grünen Farbe!“

„Meine schöne grüne Farbe,“ sprach das grüne Gras, „die brauch' ich selbst. — Geh weiter!“

Da ging der Schnee zum roten Röslein, das so wie Purpur schimmerte im hellen Sonnenschein.

„Bitt' schön!“ bat er. „Leih mir doch dein purpurrotes Röcklein!“

„Du bist nicht recht gescheit!“ lacht ihn das Röslein aus. „Mein purpurrotes Röcklein brauch' ich selber!“

Nun ging der Schnee zur schlanken Hyazinthe, die so reich an farbigen Gewändern war, und als auch sie ihn abwies, zu der bunten Tulpe.

„Du hast so viele prächtige Kleider,“ sprach er, „eines immer schöner als das andere. Willst du mir nicht eins davon schenken?“

Doch die stolze Tulpe wendete ihm hochmütig den Rücken. Das war ihre Antwort! — Ebenso machte es die hohe, gelbe Sonnenblume, als er sie um ein klein wenig von ihrer vielen goldenen Farbe bat.

Und so ging es weiter!

Wohin er aber kam und anklopfte, nirgends ward ihm aufgetan. Niemand hatte etwas für ihn übrig.

Als keine von den schönen bunten Blumen ihm etwas von ihrem Farbenschmuck abgeben wollte, da ward der eitle Schnee bescheidener, und nun versuchte er sein Glück bei den unscheinbareren und schlichteren Blumen, die tiefer unten standen.

Doch auch sie mochten nichts von seiner Bitte hören. Jede wollte, was sie bekam, selbst — ganz für sich allein — behalten: das samtartige, vielfarbige Aurikelchen, wie das himmelblaue, lichte Vergißmeinnicht, und all die anderen. Sogar das demütige, liebliche Blauveilchen, das still am Boden im Verborgenen blüht, schüttelte stumm und schüchtern mit dem duftigen Köpfchen, weil es sich nicht getraute: „Nein!“ zu sagen.

Drauf schlich der Schnee betrübt davon und setzte sich beiseite.

„O weh!“ seufzte er. „O ich Ärmster! was fang' ich an? Nun bin und bleib' ich unsichtbar, weil niemand mir ein wenig Farbe schenkt, und nun werd' ich böse — böse, wie der wilde Sturmwind, der auch nur deshalb gar so bös ist, weil ihn niemand sieht!“

Da reckte und streckte sich etwas in seiner Nähe! Ein weißes Blütenköpfchen schaute voll Mitleid zu ihm auf. Es war das kleine Schneeglöckchen.

„Klage nicht, mein lieber Schnee!“ bat es mit seiner hellen Stimme. „Wenn dir mein weißes Mäntelchen nicht gar zu schlicht ist, so nimm's in Gottes Namen!“

Erfreut und dankbar nahm der Schnee das schlichte weiße Mäntelchen, und darum ist er weiß geworden und geblieben — schneeweiß — sein Leben lang. Und weil die anderen Blumen alle samt und sonders ihm nichts von ihrer Farbe haben geben wollen, duldet er sie nicht — keine einzige von ihnen — auf der Erde, solange er das Regiment hat, sondern ist ihr ärgster Feind, der sie vernichtet, wo er kann.

Doch *eine* Blume schont der Schnee: das Schneeglöckchen! Das Schneeglöckchen allein darf ungestraft sein zartes Köpfchen heben, sobald der erste warme Sonnenstrahl es wachküßt aus dem tiefen Winterschlaf, wenn die Schneeflocken auch noch so dicht und schwer zur Erde niederfallen.

So dankt der Schnee dem guten kleinen Schneeglöckchen noch heutigestags dafür, daß es ihm, mitleidig, sein weißes Mäntelchen einst gab.

Freikonzert.

Freikonzert am großen Pilz!
Kommt, ihr Tierchen, heute gilt's!
Has' und Reh, herbei, herbei!
Denkt doch, wirklich kostenfrei!
Und ihr andern lieben Bestien,
kein Entree wird euch beläst'gen.
Flötensolo meisterlich
bläst Maestro Pilzerich;
Musikus vom Hut zum Stiebel;
wer ihn hört, braucht keine Zwiebel:
Weil die Rührung gar so groß,
hört ihn keiner tränenlos.
Jeder denkt gerührt dabei:
Selbst die Rührung kostenfrei!

Hans Hoffmann.

Schlafliedchen.

Schlaf, mein goldig Mägdelein,
sieh, schon bricht die Nacht herein,
und der Mond zieht stillverträumt
durch die Wolken goldumsäumt!
Droben wacht ein klarer Stern,
schlafe in der Hut des Herrn!

Klara Hohrath.

Originalzeichnung von E. H. Walther.

Die Kühe machen: „Muh!"

Hört! Draußen auf der Wiese,
da sitzt die Hüterliese,
fünf Kühe um sie her.
Sie hat zerrissne Schuhe
und singt in aller Ruhe
ein Lied gar lang und schwer!

Sie singt von Gold und Seide,
vom Glück und auch vom Leide
und lächelt stets dazu —
ein Irrlicht tanzt am Moore,
die Unke krächzt im Rohre,
die Kühe machen: „Muh!"

Klara Hohrath.

Aus Versehen.

Schaust so bittend her zu mir,
liebes Hammelhänschen,
möchtest sicher auch gleich mir
solch ein hübsches Kränzchen?

Ja, es scheint dir auch nicht schlecht,
so geschmückt zu gehen.
Und du hast fürwahr ganz recht,
das muß ich gestehen.

Doch ich fürchte sehr, mein Hans
könnte sich vergessen
und am Ende seinen Kranz
aus Versehen — — fressen!

Cornelie Lechler.

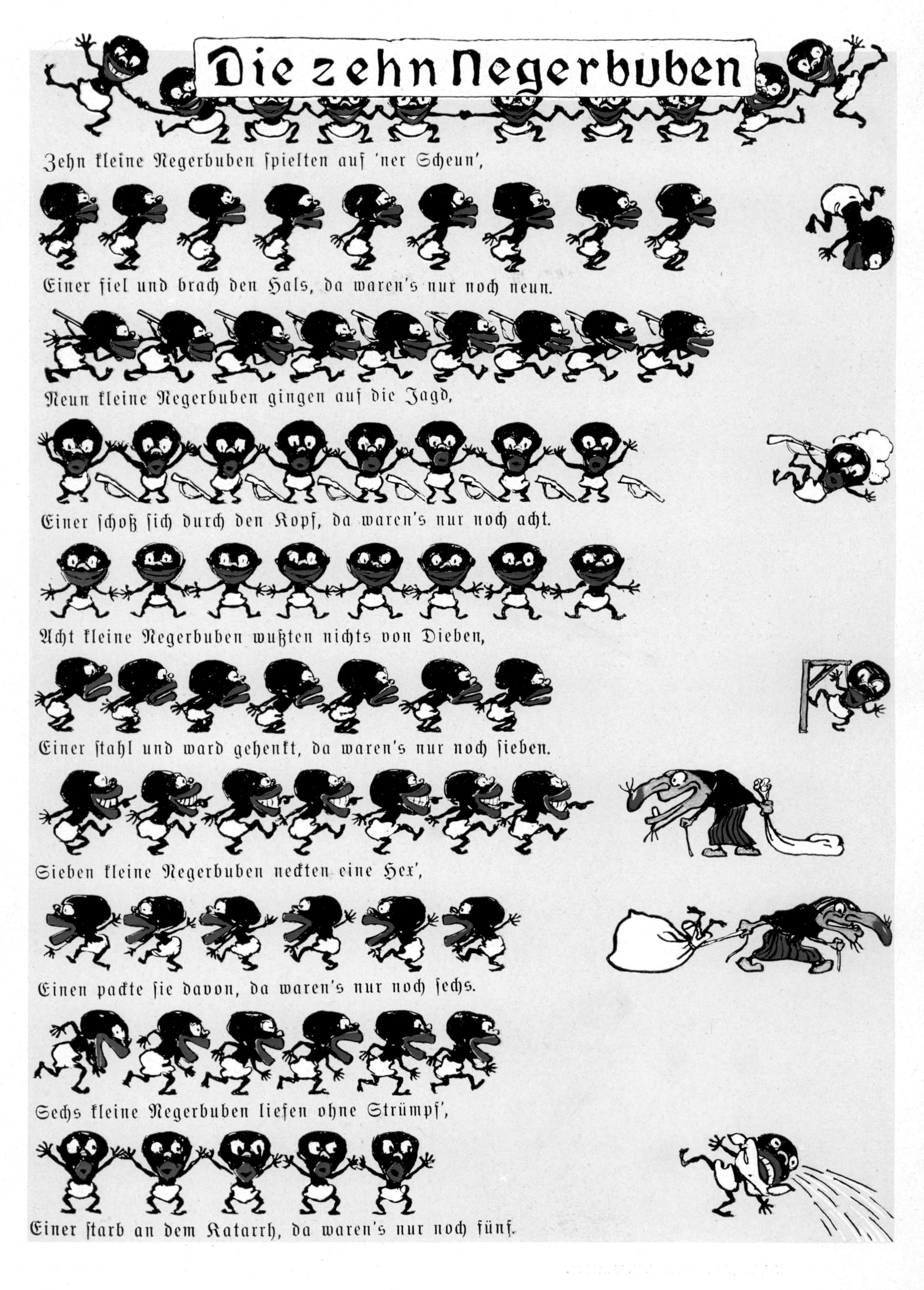

Originalzeichnung

Fünf kleine Negerbuben saßen einst beim Bier,

Einer trank zuviel und barst, da waren's nur noch vier.

Vier kleine Negerbuben kochten sich 'nen Brei,

Einer aß zu heiß und starb, da waren's nur noch drei.

Drei kleine Negerbuben bereisten die Türkei,

Einen traf der Sonnenstich, da waren's nur noch zwei.

Zwei kleine Negerbuben nun fingen an zu weinen,

Einer weinte sich zu Tod', da gab es nur noch einen.

Ein kleiner Negerbube mietete sich Stuben,

Nahm 'ne Frau und zog sich auf zehn kleine Negerbuben.

(da capo.)

Schmidhammer.

Das Hirschbrüllen.

Von Bertha Clément. Mit Bildern von Franz Stassen.

„Vater, können wir nicht mitfahren?"

„Ja, liebes Vati, geht's nicht doch?"

So baten und schmeichelten Max und Hilde, als der Wagen schon vor der Tür hielt, um den Vater nach der Stadt zu bringen.

„Es geht nicht. Ich habe in der Stadt zu tun und kann euch nicht gebrauchen. Wenn ich heute abend wiederkomme, bringe ich euch euern Vetter Ernst August und seine Schwester, das kleine Klärchen, mit. Kusch, Cäsar. Halte den Köter zurück, Max! Adieu, Lenchen," rief er seiner Frau zu, die in der Haustür erschien, ihm noch einen Gruß zuzuwinken.

„Adieu, Franz, sei auch ja rechtzeitig an der Bahn, damit sich die Kinder nicht ängstigen."

„Werd's schon besorgen," lautete die Antwort, dann fuhr der leichte Jagdwagen mit dem großen, kräftigen Oberförster davon.

Max und Hilde wohnten mitten im Walde in einem schlichten, aber hübschen geräumigen Hause, das durch das große Hirschgeweih über der Haustür verkündete, daß es eine Försterei war. Die Geschwister besuchten die Schule in dem nahen Städtchen, verlebten nun aber die Michaelisferien daheim in ihrem schönen Walde, den sie über alles liebten.

Im Sommer radelten sie jeden Morgen um sieben Uhr fort, um rechtzeitig in der Schule zu sein, blieben über Mittag in einer Pension und kamen Nachmittags wieder heim. Bei schlechtem Wetter ließ Vater sie fahren und im Winter blieben sie in der Pension, kamen aber jeden Sonnabend mittag zu Wagen oder Schlitten, je nach dem Wetter, nach Hause und fuhren Montag morgen, oft wenn es noch ganz dunkel war, wieder fort. Dabei blühten sie wie die Röslein, die viele Bewegung im Freien hatte sie kräftig und gesund gemacht.

„Was fangen wir nun an?" fragte Max, als der Wagen verschwunden war.

„Ich hab's," rief Hilde und hüpfte vor Vergnügen, „wir binden eine Girlande um die Haustür, dann freuen sich Ernst August und Klärchen."

„Daraus werden sie sich recht was machen," meinte Max zwar, doch Mutterchen stimmte der kleinen Tochter bei und sagte: „Gäste freuen sich über jede Aufmerksamkeit."

So pflückten die Kinder Tannenzweige und schöne bunte Eichenblätter, Hilde band und Max reichte zu, und beide freuten sich, wie hübsch die Girlande ward. Der junge lustige Forsteleve hing sie Nachmittags um die Haustür und nun harrten die Geschwister voller Ungeduld ihrer Gäste.

Endlich, endlich hörte Max das Rollen des Wagens. „Hilde, Hilde, sie kommen!" schrie er ins Haus und kaum war Hilde und auch Mutterchen da, so fuhr der Wagen vor. Vergnügt nickte der Oberförster seinen Kindern zu.

„So, da sind wir!" rief er, warf dem Kutscher die Zügel zu und sprang ab. „Komm, mein kleines Mäuschen," sagte er und hob das blonde zarte Mädchen vom Wagen, „da ist Tante Lene, kleine Kläre, die wird dafür sorgen, daß du rote Bäckchen bekommst. Na, Ernst August, mach Bekanntschaft mit Max."

Die Jungen reichten sich die Hände, dann aber riß Max Mund und Augen auf vor Staunen, denn der Vetter machte eine regelrechte Verbeugung wie in der Tanzstunde und küßte Mutterchen die Hand wie ein richtiger Herr. Ganz bestürzt blickte Max zu Vater hinüber.

Dem zuckte es wie ein Lachen um die bärtigen Lippen, er sagte aber ganz ernsthaft: „Ja, ja, Junge, das ist ein feiner junger Mann, von dem kannst du Großstadtmanieren lernen."

Ganz verdutzt ging Max mit dem Vetter in ihr gemeinschaftliches Zimmer und fragte: „Du, ist das wirklich bei euch in Berlin Mode, daß man allen Menschen die Hand küßt?"

„Allen Menschen?“ wiederholte der blonde, langaufgeschossene Ernst August gedehnt, „nein, aber einer Dame gegenüber werde ich mich als künftiger Gardeleutnant doch zu benehmen wissen.“

„Und die müssen jeder Dame die Hand ablecken? Na, ich danke!“ rief Max wegwerfend.

„Du scheinst in deinem Waldwinkel noch nicht viel von Manieren gelernt zu haben, mein Kleiner,“ sagte Ernst August spöttisch.

„Du — den Kleinen nimm zurück, ich bin zwei Monate älter als du,“ schrie Max und trat mit blitzenden Augen und geballten Fäusten vor den Vetter hin.

Ernst August sah den etwas kleineren aber kräftigeren Jungen prüfend an, es war kein Zweifel, wer in einem Kampfe den kürzeren ziehen würde, so sagte er freundlich: „Ich habe dich ja nicht gleich in der ersten Minute kränken wollen, Max, ich will dich nicht wieder so nennen.“

„Das ist dein Glück,“ entgegnete Max noch immer grollend.

Eine Pause entstand, dann sagte Ernst August anerkennend: „Ihr wohnt hier recht hübsch, aber doch furchtbar einsam.“

„Gar nicht, es ist nirgends so schön wie hier!“ rief Max herausfordernd.

„Nun ja, natürlich, es ist ja deine Heimat. Ich finde es nirgends so schön wie in Berlin. Da würde es dir auch gefallen. Da ist das viele Militär und der Kaiser und die Paraden. Du kannst dir gar nicht denken, wie schön die sind. Und dann haben wir da Theater und Konzerte, und im Sommer machen wir oft schöne Ausflüge mit der Bahn oder mit einem Dampfer auf der Havel nach Potsdam und sehen uns die königlichen Schlösser und die schönen Gärten an. Du mußt uns mal besuchen, dann wirst du auch sagen, daß es schön bei uns ist. Ja, wenn man in Berlin wohnt, imponiert einem wirklich nichts.“

Max blickte den Vetter mißtrauisch an, das Fremdwort kannte er nicht, aber eine Anerkennung für seine waldumrauschte Heimat war es gewiß nicht, so rief er hitzig aus: „Dann hättest du ja in Berlin bleiben können,“ und lief aus der Stube in des Vaters Zimmer.

„Vater — was ist imponieren?“ fragte er.

„Was soll das?“ erkundigte sich Vater.

„Ernst August sagt, einem Berliner imponiert nichts.“

„So — sagt er das?“ Der Oberförster lachte. „Na, mein Junge, den wollen wir schon kriegen.“

„Was soll das alte dumme Wort denn heißen, Vater?“

„Es heißt, daß einem Berliner Jungen, der schon so vieles gesehen hat, nichts mehr einen Eindruck macht, es läßt ihn zum Beispiel alles ganz gleichgültig, was er hier bei uns auch sehen mag.“

„Dann hätt' er doch in Berlin bleiben sollen!“ rief Max wieder.

„Laß nur, Maxel, wir wollen schon etwas herausfinden, was auf den jungen Herrn Eindruck machen wird.“

„Ach ja, Vater, find' recht was Dolles!“ rief Max erfreut und lief wieder ganz vergnügt davon.

„So, Kinder,“ sagte Mutterchen am nächsten Morgen, „hier habt ihr euer Frühstück, nun geht auf die Weide und laßt euch frische Milch dazu geben, Sophie ist gerade zum Melken hinaufgestiegen. Die schöne Milch wird unseren blassen Stadtmäusen gut tun.“

Ernst August richtete sich hoch auf und ward rot vor Ärger, daß er, der schon den Damen die Hände küßte, einfach Stadtmaus genannt wurde und Milch trinken sollte wie ein kleines Mädel; das war doch ein bißchen stark. Verdrossen ging er mit den anderen Kindern in den Wald die Berge hinauf. Die Berliner Kinder wollten es den Försterkindern gleich tun an Schnelligkeit, sie begriffen aber nicht, wie Max und Hilde so leichtfüßig springen konnten, als ob das Bergsteigen gar nichts sei. Da drang das Brüllen der Kühe an ihr Ohr. Erschrocken stand Klärchen still und fragte ängstlich: „Sie sind doch hinter einem Gitter und können uns nichts tun?“

„Nee du, unsere Kühe laufen frei 'rum, aber du brauchst nicht bange zu sein, die tun dir nichts,“ sagte Max.

Etwas unruhig ging Klärchen weiter, hielt sich aber dicht an Maxens Seite. Ängstlich griff sie nach seiner Hand, als sie nun auf eine Waldblöße traten, auf der mehrere Kühe und ein Pferd mit einem Füllen friedlich unter der Obhut eines Jungen und dessen Hund weideten.

„Sie tun dir wirklich nichts,“ sprach Max dem kleinen Mädchen tröstend zu und führte sie zwischen den aufblickenden Tieren hindurch zu Sophie, die beschäftigt war, eine hübsche, rot und weiß gefleckte Kuh zu melken.

„So, hier bist du sicher!“ rief er und lief zu den Pferden. Er griff dem Mutterpferde in die Mähne, führte es zu einem Baumstamm, trat hinauf und schwang sich auf das Pferd. „Hoiho!“ — rief er und gab ihm einen Klaps auf den Hals.

Ei, wie es anfing zu laufen, mitten in die weidende Herde hinein, das Füllen in lustigen Sprüngen hinterdrein. Und nun kam auch Bewegung in die Kühe. Erschrocken, mit lautem Gebrüll, den Schwanz hoch erhoben, stoben sie auseinander, auch die rotbunte lief davon und Sophie konnte froh sein, daß sie ihren Milcheimer rettete, denn Klärchen umklammerte sie laut schreiend und suchte Schutz bei ihr.

„Max, bist du wild geworden?“ schalt Sophie erzürnt. „Bringst mir die ganze Herde in Unruh'. Mach, daß du von der Liese 'runterkommst!“

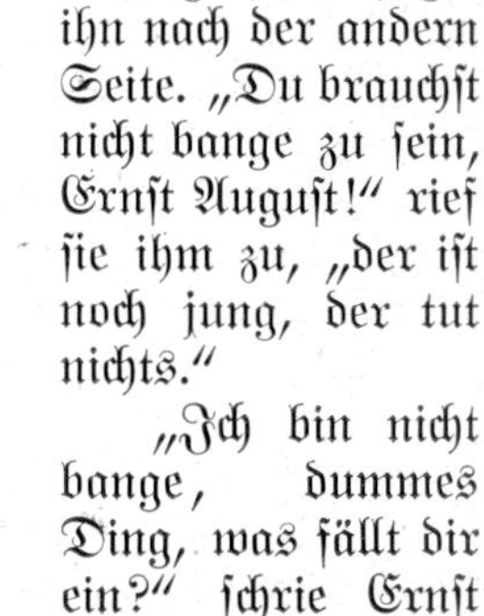

Max lachte, der Hüterbube grinste über das ganze Gesicht und Hilde tanzte vor Vergnügen.

Ernst August war bestürzt zur Seite gewichen und stand nun und lächelte etwas mißvergnügt. Ihm war es etwas unheimlich inmitten der aufgeregten Tiere, das wollte er aber natürlich nicht zeigen. Da kam ein junger schwarzer Stier über die Weide gerannt, ganz unheimlich anzusehen mit dem erhobenen Schwanz und den bösen Augen. Ernst August hatte schon oft davon gehört, wie bösartig solche Tiere sein können; hastig sprang er zur Seite, der Stier schlug sofort die gleiche Richtung ein. Ganz erschrocken blickte der Knabe sich nach einem geeigneten Schutz um.

Da rief Max spottend: „O, er ist bange — er ist bange!“

„Das bin ich nicht,“ schrie Ernst August empört auf und trat dem Stier mutig entgegen, obgleich er heftiges Herzklopfen hatte.

Da sprang Hilde herzu, versetzte dem Stier einen Schlag und jagte ihn nach der andern Seite. „Du brauchst nicht bange zu sein, Ernst August!“ rief sie ihm zu, „der ist noch jung, der tut nichts.“

„Ich bin nicht bange, dummes Ding, was fällt dir ein?“ schrie Ernst August entrüstet, „ich hab' schon ganz andere Tiere gesehen, als eure dummen Kühe.“

Inzwischen war Max von der Liese herunter geglitten, und es kam wieder Ruhe und Ordnung in die Herde. Scheltend rief Sophie Max zu, daß er das weinende Klärchen, das sich immer wieder an sie klammerte, fortbringen sollte, dann fing sie die Rotbunte wieder ein.

Klärchen ließ sich nicht überzeugen, daß ihr die Tiere nichts tun würden, so mußten die Kinder den Weideplatz mit ihr verlassen. Erst als sie etwas tiefer bergabwärts im Walde saß, beruhigte sie sich allmählich und ließ sich ihr Butterbrot und die Milch, die Hilde holte, schmecken.

Nun erzählte Ernst August von dem zoologischen Garten und den wilden Tieren, die es da zu sehen gäbe.

„Laufen sie denn da frei rum?“ fragte die kleine, dumme Hilde.

Ernst August sah sie denn auch ganz verächtlich an und sagte: „Nein, das wäre wohl zu gefährlich, natürlich sind sie alle hinter festen Gittern.“

„Na, dann ist's doch auch kein Kunststück, sie zu besehen,“ meinte Hilde.

„O, zuweilen kann es doch recht gefährlich werden,“ sagte Ernst August wichtig, „einmal war ein Elefant ausgebrochen und hätte fast einen kleinen Jungen mit seinen dicken Beinen niedergetrampelt, wenn ich nicht gerade hinzugesprungen wäre und das Kind gerettet hätte.“

Klärchen öffnete die Augen weit vor Staunen. Eine solche Heldentat hatte Ernst August verheimlicht? Wie wunderbar! Auch Hilde blickte ihn bewundernd an. Das ärgerte Max.

„Das wird wohl etwas anders gewesen sein,“ sagte er.

„Was — du willst sagen, daß ich lüge,“ rief Ernst August und sprang auf. „'n alter Prahlhans bist du, 'n Aufschneider,“ schrie Max hochrot, sprang auch auf und versetzte dem Vetter einen Puff in die Rippen.

Das konnte der sich nicht gefallen lassen, so entstand eine regelrechte Balgerei, die damit endete, daß Max den anderen niederwarf. Ernst August hielt ihn jedoch fest, riß ihn mit sich nieder und beide rollten den Berg hinab. Klärchen schrie laut auf vor Schreck, der Abhang war jedoch nur von geringer Höhe bis zum Wege, so blieben sie bald liegen. Ganz atemlos und bestaubt erhoben sie sich und blickten sich grimmig an.

„Hast genug, Prahlhans, oder willst noch 'n bißchen weiterrollen?“ fragte Max.

Nun ging es aber steiler bergabwärts, deshalb verspürte Ernst August keine Lust dazu.

„Bist ein Grobian,“ sagte er, „ist's bei euch Sitte, daß man seine Gäste die Berge hinunterwirft?“

„Wenn sie sich so aufspielen, ist ihnen das ganz gesund,“ erklärte Max und lief pfeifend, mit großen Sprüngen bergabwärts. Verdrießlich folgte ihm Ernst August mit den kleinen Mädchen.

„Na, Jungens, was meint ihr,“ sagte der Oberförster beim Mittagessen, „soll ich heut abend mit euch zum Hirschbrüllen gehen?“

„Ach ja, Vater, man zu!“ rief Max voller Freude.

„Zum Hirschbrüllen? ist das denn was Besonderes?“ fragte Ernst August etwas spöttisch.

„Das wollt' ich meinen, mein Junge,“ entgegnete der Oberförster lachend, „wirst es schon merken, wenn so ein starker Hirsch losorgelt.“ — „So wie ein Löwe im zoologischen Garten ist es doch nicht,“ entgegnete Ernst August zu Maxens Ärger.

„Vater, können wir nicht auch mit?“ bat Hilde.

„Nein, für so kleine Mädchen ist das nichts, es wird auch viel zu spät.“

In einiger Erwartung war Ernst August doch, als der Onkel sich Abends nach dem Essen mit ihm und Max auf den Weg machte. Es waren Wolken am Himmel, so verkroch der Mond sich hin und wieder und es war dunkel. So spät war der Knabe noch nie im Walde gewesen, es war doch recht unheimlich. Wie gut, daß weder der Onkel noch Max sahen, wie er bei jedem Geräusch zusammenfuhr.

„Vater, wenn wir nur welche treffen,“ meinte Max.

„Sei ohne Sorge,“ entgegnete der Oberförster. „Daß ihr mir aber nicht von der Seite geht, was auch geschieht, verstanden, Jungens? Den Hirschen ist in dieser Zeit nicht zu trauen, da können sie, wenn sie in Wut sind, sogar den Menschen gefährlich werden.“

„Wirklich, Onkel?“

„Gewiß, mein Junge, sie sind ja nicht eingehegt wie eure wilden Tiere im zoologischen Garten,“ sagte der Onkel neckend.

Ernst August wußte nicht, ob der Onkel scherzte oder nicht, ihm war es aber recht gruselig im dunklen Walde und er drängte sich möglichst dicht an den Onkel. Wenn nur wenigstens der Mond scheinen wollte! Es war eigentlich eine wunderbare Idee von Onkel, ihn so in Gefahr zu bringen.

6

„Stillgestanden!" kommandierte der Oberförster, „ich höre etwas."

Ein eigentümliches Geräusch, als ob zwei harte Gegenstände heftig aufeinander klappten, klang nun deutlich an ihr Ohr.

„Vater, da kämpfen zwei Hirsche," flüsterte Max ganz selig.

„Ja, scheint mir auch so, jetzt leise herangeschlichen, dort auf der Lichtung müssen sie stehen. Ach, da ist der Mond auch, wie gefällig von ihm."

Unter Herzklopfen schlich Ernst August neben den Verwandten her. Er wäre viel lieber nach Hause gegangen, als in die allernächste Nähe der wütenden Hirsche.

Nun hatten sie die Lichtung erreicht. Richtig, da kämpften zwei starke Tiere miteinander.

„Kapitalkerle!" rief der Oberförster leise.

„Willst du schießen, Vater?" fragte Max.

„Nein, heute abend nicht."

Da, was war das? Plötzlich knackte es hinter ihnen und ein furchtbares Brüllen ertönte. Ein kalter Schauer rann Ernst August durch die Glieder. Was mochte das für ein Ungeheuer sein?

„Fort — nach links — leise — vorsichtig," mahnte der Oberförster.

Im selben Augenblick ertönte das Brüllen noch näher, noch lauter und grimmiger. Ernst August war es nicht anders, als säße ihm das Ungetüm schon im Nacken. Mit dem gellenden Aufschrei: „Ein wildes Tier — ein wildes Tier!" stürzte er sinnlos vor Angst auf die Lichtung hinaus.

„Junge — plagt er dich? Stillgestanden — Ernst August!" rief Onkel Oberförster und lief ihm mit Max nach, doch Ernst August jagte schon wieder seitwärts in den Wald, blind und taub vor Angst, immer in dem Wahne, das unbekannte Ungetüm sei hinter ihm drein.

Da verwickelte sich sein Fuß im Brombeergestrüpp, er strauchelte und stürzte hin.

„Holla, Junge, da haben wir dich ja!" rief Onkel Oberförster triumphierend, „sag mal, warst du toll geworden?" fragte er und richtete ihn auf.

„Was hattest du denn?" fragte Max, der nun auch herangelaufen kam.

„Ach, der Bär," stotterte Ernst August, „ich bekam solchen Schreck."

„Ein Bär?" Onkel Oberförster brach in ein schallendes Gelächter aus und Max stimmte fröhlich ein. „Also ein Bär soll das gewesen sein? Sieh mal an, da hat dir das Hirschgebrüll ja gewaltig imponiert, mein Junge."

Ernst August war tief beschämt. „War das wirklich ein Hirsch?" fragte er kleinlaut.

„Ein ganz wirklicher Hirsch," versicherte Onkel, „Bären gibt es hier gar nicht. Was meinst du, Junge, willst du nächstens mal mit auf den Anstand kommen? Aber geschrieen und fortgelaufen wird da nicht, das merke dir."

„Ach ja, Vater, nimm uns mit, bitte," bat Max stürmisch, „aber erst muß Ernst August auch schießen lernen!"

„Kannst du es denn?" fragte dieser erstaunt und Max stieg in seiner Achtung, als er entgegnete: „Natürlich, das wird ein Försterjunge doch können. Einen Hasen habe ich Mutter neulich schon geschossen."

Ernst August kam sehr kleinlaut nach Hause und fand es sehr nett von Max, daß er ihn weder neckte, noch am anderen Tage den kleinen Mädchen erzählte, wie er sich blamiert hatte. Er prahlte nur noch selten in der nächsten Zeit, tat er es aber doch einmal, so genügte es, daß Max sagte: „Das ist gar nichts gegen Hirschbrüllen." Dann ward er rot und schwieg.

Die Knaben vertrugen sich jetzt prächtig, sie machten weite Streifereien mit dem Vater und der verwöhnte Großstadtjunge lernte die Natur lieben und bewundern.

„Es ist doch schön bei euch," sagte er zu Max, als die köstlichen Ferien zu Ende waren und sie Abschied voneinander nahmen.

„So, Kinder," sagte Onkel Oberförster, als Ernst August und Klärchen bereits in einem Abteil zweiter Klasse saßen, „aus anderen Augen schaut ihr beide. Nun haltet euch wacker, grüßt die Eltern und kommt nächstes Jahr wieder. Und solltest du einen Jungen treffen, Ernst August, dem nichts mehr imponiert, so schick ihn nur hierher, ich nehme ihn mit zum Hirschbrüllen, du weißt ja." Er blinzelte lustig mit den Augen, Max lachte und Ernst August ward dunkelrot.

„Ich mach's schon mal wieder gut, Onkel," rief er aus dem Fenster, „wenn ich erst einen Hirsch schießen kann."

Fort rollte der Zug und verschwand immer mehr in der Ferne.

Muttersöhnchen.

Ging ich gestern bei Wind und Regen
noch ein bißchen ins Feld hinaus,
kam mir draußen ein Bübchen entgegen —
lieber Himmel, wie sah das aus!
Geduckt wie ein Häschen,
mit blaurotem Näschen,
verschüchtert, verfroren,
bis über die Ohren
vermummt und versteckt.
Ich hab's erst geneckt,
dann hab' ich gelacht
und an mein eigenes Bübchen gedacht!
Das ist — ich will es euch nur verraten —
bei allen sonstigen Heldentaten
nicht grade begeistert für Nässe und Kälte!
Zieht jeden Morgen ein schief Gesicht,
mag Schwamm und Wasser und Seife nicht
und schaut mich, wenn ich es darum schelte,
genau so erbärmlich von unten 'rauf an,
wie hier auf dem Bilde der kleine Mann.

Anna Ritter.

F. Reiss

Originalzeichnung von Fritz Reiß.

Zukunftspläne.

„Wenn ich mal groß bin," spricht der Hans,
„und ein ganz richt'ger Mann,
dann kauf' ich mir sogleich ein Haus,
mit einem Garten dran."

„Auch einen Marstall kauf' ich mir,
drin hundert Rappen stehn,
und eine Kutsche oder zwei —
die sollt ihr einmal sehn!"

„Den Kutscher miet' ich gleich dazu
im goldnen Tressenrock,
und einen Diener in Livree
setz' ich auch auf den Bock."

„Dann lad' ich Papa und Mama
und die Geschwisterlein
und alle Freunde jeden Tag
zu einer Lustfahrt ein."

„Und wenn ich dann noch größer bin,
dann kauf' ich mir ein Schloß,
dann dürft ihr alle zu mir ziehn — — —
o wär' ich doch schon groß!"

Cornelie Lechler.

Vom Eichhorn.

Eichhorn, du Rotschwanz,
du roter Wicht,
ich jag' dich nicht —
was brauchst du denn so rennen?
Es tut ja nirgend brennen.
„Baum auf und ab, Galopp und Trab —
das ist so mein Vergnügen;
und spring' ich schlecht und fall' hinab,
ich bleib' nicht lange liegen."

Eichhorn, du Rotschwanz,
wo bist du denn?
Was frißt du denn?
„Ich knack' mir hier ein Nüßchen,
Ein delikates Bißchen.
Doch besser schmeckt ein Vogelei,
das knabbr' ich auf und trinke,
wer's legt, das ist mir einerlei,
ob Zeisig oder Finke."

Eichhorn, du Rotschwanz,
wo wohnst du denn?
Wo schläfst du denn?
„In einem Rabenneste,
das deckt' ich mir aufs beste,
und setzt mir Wind und Regen zu —
husch in das Haus, das brave!
Und kommt die kalte Winterruh',
stopf' ich die Tür und schlafe."

Victor Blüthgen.

Wie Gretchen wachsen wollte.

Von Klara Hohrath.

Zu gerne möcht' das Gretchen ganz so gross schon sein
wie die Mama! Die langen Röcke würd' sie fein
nachschleifen, leise raschelnd auf dem Kies,
dass „Gnäd'ge Frau" man unbedingt sie hiess'.

„Die Lilien an der Mauer wachsen gar so schnell,
lieb Mütterlein! Mama, sag mir doch auf der Stell',
woher das kommt? Schon grösser als wie ich
sind sie, Mama! Sie wachsen fürchterlich!"

„Das macht der Regen und der warme Sonnenschein,
begiess die Blumen nur recht fleissig, Gretelein!"
Drauf ist der kleine Gernegross verstohlen, sacht,
geschlichen nach der Mauer hin, wo unbewacht
des alten Gärtners Kanne wartend stand,
mit Wasser schon gefüllt bis an den Rand.

In Eile zieht sich Gretel aus ganz splitternackt
und hat die schwere Kanne keuchend aufgepackt:
begossen sich wie einen Blumenstock,
ein Glück, dass aus dem Weg Hemd, Kleid und Rock!

Drauf stellt sie zu den Lilien sich, ganz steif und
stumm.
um ihr Gesicht hängt triefend nass herum
ihr gelbes Haar, und Wassertröpfchen hell
am glatten Körper niederrieseln schnell.

Die Sonne lacht und streichelt liebevoll und zart
dies neubegossne Blümlein von besondrer Art.
Da kommt der Gärtner schon des Wegs daher,
bleibt stehn und starrt und wundert sich gar sehr.

„Du bist wohl närrisch worden, Gretelein,"
meint er.
Sie aber lacht: „Peter, du dummer Zottelbär,
merkst du denn nicht, warum ich steh' so still
bei deinen Lilien? Weil ich wachsen will!

Ja, wachsen grad so schnell wie sie! Mach kein Gesicht!
Begossen bin ich schon, die warme Sonne sticht!
Sag, Peter, schau einmal recht deutlich hin,
ob ich wohl schon ein Stück gewachsen bin?"

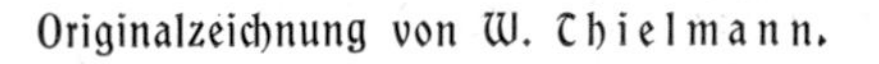

Originalzeichnung von W. Thielmann.

St. Georg, der mutige Drachentöter

Ich bin der Ritter Herr Sankt Georg
und reit' durch den rauschenden Tann,
und reit' durch die leuchtende lachende Welt,
ein wehrhafter, wahrhafter Mann.

Ich bin der Ritter Herr Sankt Georg,
mein Speer traf den Drachen zu Tod,
den Drachen, der Unheil und Greuel verübt,
den Frieden der Menschen bedroht.

Ich bin der Ritter Herr Sankt Georg
und kämpfe für Wahrheit und Recht,
mein Feind ist, wer Falschheit und Unrecht begeht,
mein Freund ist, wer treu ist und echt.

Ich bin der Ritter Herr Sankt Georg
und reit' durch den rauschenden Tann,
und willst du mein Freund sein, du munterer Bursch,
so werde ein treudeutscher Mann!

Karl Rosner.

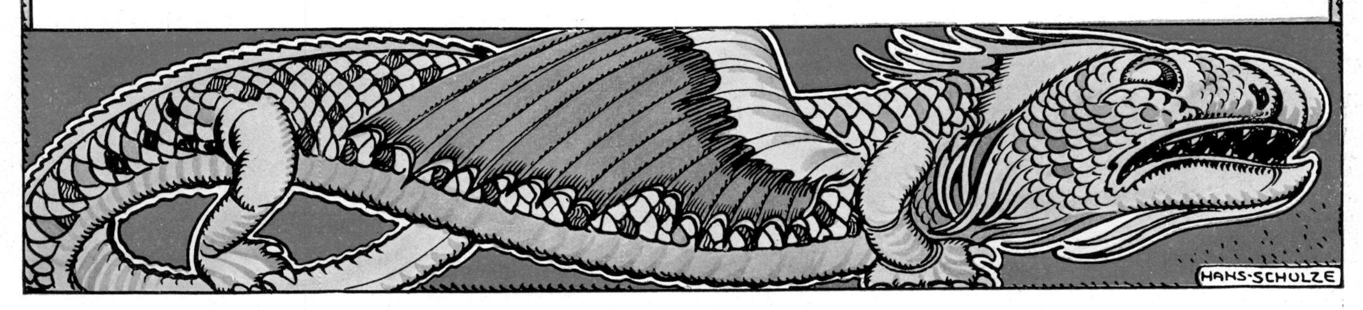

Originalzeichnung von Hans Schulze.

Das Schokoladenschloß.

Ein Märchen von Hans Hoffmann. Mit Bildern von W. Thielmann.

Die Großmutter erzählte den Kindern das Märchen von Hänsel und Gretel und dem Kuchenhäuschen der Hexe, daran diese knusperten; und weil sie selber auch Hans und Grete hießen, hatten sie doppelte Freude an der Geschichte. Zugleich aber funkelte ihnen die helle Begierde aus den blitzenden Augen.

„Nicht wahr,“ sprach die Großmutter lächelnd, „so ein Häuschen möchtet ihr auch wohl haben und den ganzen Tag daran knuspern und knabbern?“

„Ach ja,“ sagte Gretchen, „das möchte ich gar zu gern. Aber es brauchte gar kein richtiges großes Haus zu sein; mit einer ganz kleinen Hundehütte wär' ich auch schon zufrieden. Und sie brauchte nur aus gewöhnlichem Pfefferkuchen zu sein, Zuckerguß an den Fenstern wäre gar nicht nötig. Hundehütten haben ja auch gar keine Fenster.“

„Oho,“ rief nun aber Hänschen mit Eifer, „ich möchte aber gerade ein ganz großes Schloß haben, so ein ganz wirkliches für Menschen und Könige; und es müßte von unten bis oben von Schokolade sein, innen mit Füllung, und die Fenster aus englischen Bonbons gemacht: das gäbe schöne bunte Scheiben.“

„Ihr könnt beides haben,“ sprach die Großmutter ernst, „ich habe eine Jugendfreundschaft mit der freundlichen Kuchenfee, die leicht solche Dinge schaffen kann: die braucht ihr nur aufzusuchen und ihr Grüße von mir zu bringen, so tut sie euch gern den kleinen Gefallen. Sie wohnt drüben hinterm Schokoladensee; den findet ihr leicht, wenn ihr nur dem Geruche nachgeht; und seid ihr hinübergefahren, braucht ihr nicht lange mehr zu suchen. Wenn ihr aber da seid, könnt ihr gleich auch mir einen guten Dienst erweisen. Ihr wißt, ich habe kranke Augen, die mir oft sehr weh tun: dagegen hilft nur eine gewisse Marzipansalbe, von der die Fee einen Vorrat hat. Davon sollt ihr mir eine Schachtel voll mitbringen, das ist mir wertvoller als ein Kuchenhaus, darinnen ich gar nicht wohnen möchte; ich bin ja auch wohl keine alte Hexe.“

„Nein,“ riefen die Kinder, „das bist du nicht! Du bist die allerbeste Großmutter, die es auf der Welt gibt, nur daß du so häßliche triefende Augen hast. Und wir wollen jetzt gleich hinlaufen und dir die Salbe besorgen.“

„Es ist aber eine Bedingung dabei,“ sprach die Großmutter ein bißchen streng, „ihr dürft unterwegs und auch bei der Fee nicht das kleinste Krümchen oder Tröpfchen naschen, weder aus dem Schokoladensee trinken noch von dem Schloß oder der Hundehütte knabbern oder auch nur lecken: sobald ihr das tätet, verwandelt sich der Segen, der von der Fee in die Salbe mit eingerührt ist, und der sie so heilkräftig macht, in den bösesten Fluch, und ich muß elend erblinden, wenn ich sie aufstreiche.“

„Großmutter,“ fragte Hänschen nachdenklich, „wenn wir aber doch naschen, nicht wahr, dann bekomme ich auch mein Schloß nicht und Grete nicht ihre Hundehütte?“

„O doch,“ sprach die Großmutter, „diese guten Dinge bekommt ihr auf alle Fälle, ob ihr brav seid oder nicht; ich hab' es einmal versprochen, und sein Versprechen muß man halten, selbst Feinden und schlechten Menschen. Aber es wäre doch hübsch von euch, wenn ihr bloß der alten Großmutter zuliebe das Naschen unterließet.“

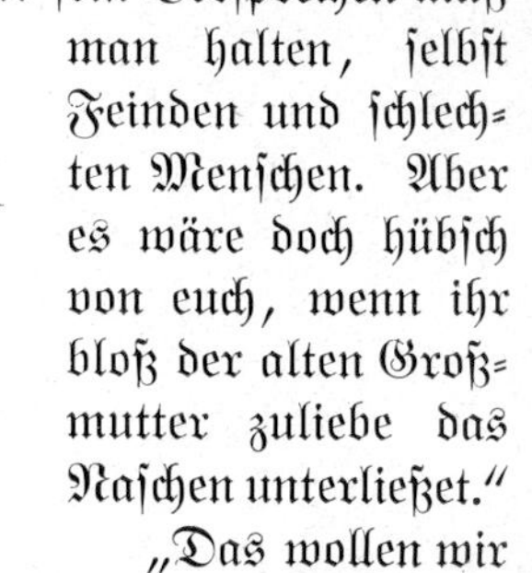

„Das wollen wir auch ganz bestimmt,“ riefen beide eifrig, „weil wir dich so lieb haben und du uns manchmal so schöne Sachen schenkst!“

Sie machten sich nun alsbald auf den Weg und gingen immer der Nase nach, bis sie den Schokoladensee fanden. Das war ein breites Gewässer von dunkelbrauner Farbe, und obgleich es ziemlich dickflüssig war, schlug es doch starke Wellen, und die trugen weiße Schaumkronen von feinster Schlagsahne. Dicht am Ufer schwamm ein hübsches Boot, das war ganz und gar aus Kuchenteig gebacken, und als Segel diente eine Windbeutelschale.

Die Kinder stiegen ein, der Wind fiel in die Segel und trieb sie rasch auf die braune Fläche hinaus.

„Ob es denn aber wirklich Schokoladensuppe ist, darauf wir fahren?“ fragte Hänschen nach einer Weile. „Eigentlich müßte man es doch erst probieren, ehe man so etwas glaubt.“

Und er fing schon an, ein wenig den Finger auszustrecken.

„Nein, nein,“ rief das Schwesterchen ängstlich, „wir dürfen nicht kosten, nicht das kleinste Tröpfchen, sonst muß die Großmutter blind werden! Und das riecht man doch wohl, daß es wirklich Schokolade ist.“

„Ach, das wäre doch kein Naschen,“ meinte Hänschen trotzig, „es wäre bloß Probieren. Und sieh mal, die

Schlagsahne, die riecht man nicht, und das müßte man doch wissen, ob es wirklich solche ist. Man soll doch immer so viel lernen und wissen, als man irgend kann."

„Tu's nicht, tu's nicht!" bat Gretchen dringend. „Alles kann der Mensch ja doch nicht wissen, hat die Großmutter gesagt."

Hänschen brummte ein wenig, drückte aber doch den Finger wieder ein.

„O Gott," seufzte er kläglich nach einiger Zeit, „wenn das noch lange so dauert, werde ich seekrank; ich merke es schon im Magen. Weißt du, dagegen gibt es bekanntlich nur ein einziges Mittel: man muß etwas Kräftiges und Nahrhaftes essen und nicht zu knapp. Schokolade ist aber eine sehr nahrhafte Speise, das hat der Vater immer gesagt, und mit Schlagsahne ist sie natürlich noch doppelt so kräftig. Die Großmutter kann doch von mir nicht verlangen, daß ich um ihretwillen die Seekrankheit kriege und dann gewiß daran sterbe. Denke doch, wie sie sich um mich grämen und weinen und sich damit erst recht die armen Augen verderben würde. Nein, nein, das muß ich verhüten."

Und er streckte von neuem den Zeigefinger aus. Aber Gretchen ergriff diesen mit entschlossener Hand und hielt ihn so fest, daß er nichts damit machen konnte.

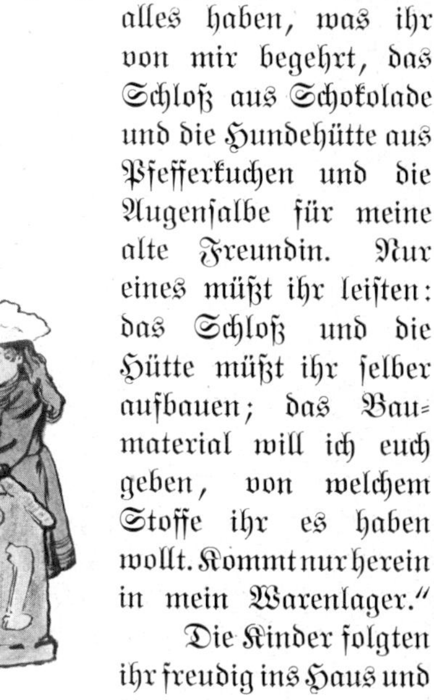

„Sieh mal," rief sie fröhlich, „da ist schon das andere Ufer!"

Wirklich kamen sie schnell näher, landeten dort und stiegen aus dem Boote.

Sie traten in einen ausgedehnten Garten, den in der Mitte eine Allee von lauter großmächtigen Baumkuchen durchschnitt, aus deren oberer Öffnung hohe Sträuße von gezuckerten Früchten emporstiegen. Hänschen versuchte hie und da, sich eine der weißen Zuckerzacken abzubrechen, aber die waren zu dick und stark, und Gretchen zog ihn auch jedesmal schnell wieder vorwärts.

„Sieh mal," rief sie, „da ist schon das Haus, darinnen die gute Kuchenfee wohnt!"

Und so war es denn auch. Sie sahen ein stattliches Gebäude, das aus riesigen Platten von Braunschweiger Honigkuchen gefügt und mit Schokoladentafeln gedeckt war. Als sie herankamen, trat die Fee gerade aus der Tür und streckte ihnen freundlich beide Hände entgegen. Sie war sehr schön anzusehen, etwas bräunlich von Antlitz, so von der Farbe, als wenn man Schlagsahne mit Schokolade recht gründlich mischt. Die Kinder küßten ihr artig die Hand, wobei Hänschen heimlich ein klein wenig mit der Zunge leckte, weil die Hand auch so schön braun war. „Aber sie ist ja doch nicht von Schokolade, wenn sie auch beinahe so aussieht," sprach er still zu sich selbst, „also ist es kein Naschen."

Und da hatte er recht: sie war von Fleisch und Bein, nur zarter und weicher als gewöhnliche Menschen; er meinte, es wäre, als wenn er ein seidenes Luftkissen küßte.

„Ich weiß schon, um was ihr gekommen seid," sprach die schöne Fee mit einem gütigen Lächeln, „und ihr sollt alles haben, was ihr von mir begehrt, das Schloß aus Schokolade und die Hundehütte aus Pfefferkuchen und die Augensalbe für meine alte Freundin. Nur eines müßt ihr leisten: das Schloß und die Hütte müßt ihr selber aufbauen; das Baumaterial will ich euch geben, von welchem Stoffe ihr es haben wollt. Kommt nur herein in mein Warenlager."

Die Kinder folgten ihr freudig ins Haus und fanden drinnen schöne, weite Räume, ganz angefüllt mit Kuchen und Süßigkeiten und Schokoladenwerk von jeglicher Art, in so ungeheueren Massen und so verlockend zu sehen, daß ihnen das Wasser im Munde zusammenlief. Doch sie bezwangen ihr Gelüst und beschlossen, sich sogleich an die Arbeit zu begeben.

Gretchen erbat sich schöne, dicke Pfefferkuchen, und erhielt sie und Sirup als Mörtel dazu. Nun kniete sie nieder, fügte zuerst den Boden zusammen, dann die vier Wände mit einer Öffnung vorn in der Mitte und wölbte zuletzt eine tüchtige Decke. In einigen Stunden war sie mit der Arbeit fertig und klatschte in die Hände vor großem Vergnügen.

Hänschen aber schleppte sich einen großen Haufen von seinem Baustoff: Schokolade und Bonbons, zusammen, denn sein Schloß sollte ja viel größer werden, als das Haus der Fee mit allen Räumen und Lagern. Und er fing an mit so großem Eifer zu bauen, daß er ganz vergaß, an Kosten und Naschen auch nur zu denken.

Als Gretchen unterdessen fertig geworden war und zu Hans hinüberblickte, erfand sich's, daß er mit all seinem Fleiße erst ein winziges Stückchen der Untermauerung zu stande gebracht hatte.

„Ja, ja," sagte die Fee, sein Werkchen betrachtend, „ein Jahr wird's wohl dauern, bis das erste Stockwerk hergestellt ist, und für den Oberbau werden noch ein paar Jährchen erforderlich sein. Dann wird's freilich etwas Feines, und du wirst mit Frau und Kindern bis an dein seliges Ende zu tun haben, bis du das Schloß wieder herunterknabberst. Das Schlimme ist für jetzt nur, daß du von meinen Süßigkeiten nichts naschen darfst, sonst wird die Salbe verdorben; und andere Speisen habe ich nicht. So wird's ein böses Hungern werden."

Da fing der arme Junge bitterlich an zu weinen und wußte sich nicht zu helfen, wie er zu seinem Schlosse kommen sollte. Die Fee aber strich ihm tröstend übers Haar und sagte freundlich: „Ich will dir sagen, wie du es machen kannst: du fährst mit Gretchen jetzt nach Hause, und wenn du die Salbe, ohne zu naschen, glücklich zur Großmutter bringst und ihre Augen geheilt werden, darfst du morgen und alle Tage wiederkommen und weiter bauen. Zu raten wäre jedoch, daß du dein Mittagessen mitbringst, damit du kräftig zur Arbeit bleibst; denn naschen darfst du auch künftig hier nicht, bis dein Schlößchen vollendet ist: sobald du das tätest, würde dieses in sich zusammenstürzen und für dich auf immer verloren sein."

Da ward Hänschen wieder froh und ordentlich stolz darauf, daß er ein so gewaltiges Werk zu schaffen unternommen hatte, zu dem es jahrelanger Arbeit bedurfte; und er blickte mit etlicher Verachtung auf seiner Schwester armseliges Hundehüttchen hernieder. Doch half er es ihr tragen bis zu dem Boote, und die Fee begleitete sie dorthin und gab Gretchen zum Abschied noch ein kleines Paket.

„Es ist ein Brief für die Großmutter darin," sprach sie, ihnen die Hand drückend, „und noch eine Kleinigkeit außerdem, die ihr beide noch nicht zu wissen braucht. Hüte das Päckchen wohl und lege es richtig in ihre Hände. Und hier habt ihr jedes ein Büchschen mit Salbe. Grüßt schön und lebet wohl. Und auf Wiedersehen, Hänschen!"

Die Kinder stiegen ein und segelten wieder auf den dunkelbraunen See hinaus.

Als sie in dessen Mitte gekommen waren, wo die Wogen am höchsten gingen und die Schaumkronen am schönsten waren, konnte Hänschen dem herrlichen Anblick nicht mehr widerstehen.

„Ich will ja bloß den Finger eintauchen," sprach er zu sich selbst, „ich möchte doch wissen, wie sich das anfühlen mag. Von Naschen ist natürlich gar keine Rede."

Und er tat nach seinen Gedanken und zog den Finger recht wohlig durch den Sahnenschaum einer vorüberspritzenden Welle; und als er ihn wieder herausnahm, war der Finger ringsum wie von einer schneeweißen Wattendecke umhüllt.

Er hielt ihn in die Höhe und betrachtete ihn vergnüglich.

„Siehst du," sprach er zu Gretchen, „ich kann das stundenlang ruhig so ansehen und kriege gar keine Lust zum Naschen."

Da freute sie sich mit ihm und glaubte ihm gern, weil sie selbst ihr Begehren so tapfer bezwingen konnte.

Indes er so spielte, kam eine Wespe, von dem Zuckerschaum angezogen, und setzte sich darauf, und als er sie fortjagen wollte, stach sie ihm in den Finger und flog davon. Vor Schmerz aufschreiend, steckte er unwillkürlich den Finger in den Mund: als er nun aber sogleich den süßen Wohlgeschmack auf der Zunge spürte, erschrak er nicht wenig. Und auch Gretchen, die es gesehen hatte, rief ihm hastig zu: „Spuck es aus! Spuck es aus!"

Aber der Ruf kam zu spät: solcher Süßigkeit im Munde noch Widerstand zu leisten, ging über seine Kraft; er schluckte den Sahnenschaum bis auf das letzte Restchen hinunter.

Sobald er den Nachgeschmack nicht mehr auf der Zunge hatte, kam über ihn eine Wehmut und über sein Schwesterchen auch.

„Ach Gott, ach Gott," klagten sie beide um die Wette, „nun ist die köstliche Salbe gewiß verdorben, und die Großmutter muß blind werden, wenn sie die Augen damit bestreicht."

„Das braucht sie ja aber nicht zu tun," bemerkte Hänschen.

„Aber geheilt wird sie dann auch nicht," meinte Gretchen traurig.

„Ja, weißt du," sprach Hänschen, sich selber zu einem kleinen Trost, „wenn ich den Schaum auch ausgespuckt hätte, etwas wäre doch im Munde hängen geblieben, geholfen hätte es also doch nichts."

„Nein, das ist wahr," bestätigte das Schwesterchen, „und weißt du was? Vielleicht gilt dies gar nicht als Naschen, weil du es doch nicht gewollt hast, sondern die Wespe daran schuld war; da bleibt die Salbe gewiß unverdorben."

Hänschen dachte eine Weile tiefsinnig nach, wobei er den Finger wieder in den Mund steckte. „Ach nein, ach nein," rief er dann auf einmal ganz hitzig, „genascht habe ich doch, weil ich das Zeug verschluckt habe; daran ist nichts mehr zu ändern. Aber sieh mal, weil das Unglück nun doch einmal geschehen ist und alles in einem hingeht, wollen wir wenigstens etwas davon haben und von der Schokolade mit Schlagsahne trinken, so viel wir irgend können." — Gretchen weigerte sich, mitzutun, und sagte bestimmt: „Mir würde es doch nicht schmecken."

Hänschen aber fuhr eilig mit der Mütze in die bräunliche Flüssigkeit, ließ diese hineinlaufen und trank in vollen Zügen und trank und trank.

„Das ist die beste Schokolade, die ich jemals getrunken habe," sprach er in einer Erholungspause, indem er nach Luft schnappte, „Mutters Sorte ist viel geringer."

Als er endlich ganz satt war und gar nicht mehr konnte, bekam er Bauchweh, und als sie ans Land gestiegen waren, wurde er seekrank und es erging ihm ganz übel.

Aber doch noch ein wenig übler war ihm zu Mute, da er nun vor die Großmutter hintreten und weinend bekennen mußte, was er getan hatte. Denn die Unwahrheit sagen konnte er doch nicht, dann wäre sie von der Salbe ja blind geworden.

Die alte Frau schalt gar nicht und klagte auch nicht, sondern sprach ruhig zu Gretchen: „Deine Salbe, die rein geblieben ist von dem Fluche, wird mir immerhin wohltun und meine Schmerzen nicht wenig lindern. Ganz geheilt werden kann ich nun freilich vorläufig noch nicht, weil Hansens Salbe verdorben ist. Das Ablecken des Fingers hätte ihr noch nichts geschadet, weil das fast ohne seine Schuld geschah; aber daß er sich nachher sogar Bauchschmerzen angetrunken hat, das hat das Heilmittel vergiftet. Trotzdem kann ich ihn nicht strafen, weil er mir nichts Böses getan, sondern nur unterlassen hat, mir eine Wohltat zu erweisen. Auch sein Schokoladenschloß, das ich ihm verhieß, soll ihm nicht vorenthalten werden, wenn es nun auch etwas anders aussieht, als er es sich wohl geträumt hatte. Wer bescheidene Wünsche hat wie du, Gretchen, dem werden sie leichthin erfüllt ganz nach seinen Gedanken; wer zu hoch hinaus will, mag auch wohl etwas erreichen, aber meist in einer Gestalt, die ihm gar nicht mehr behagt. — Sieh her, Hänschen, hier ist dein Schloß, das die Fee in diesem Päckchen mir schickt. Und dazu schreibt sie, sie wisse im voraus, daß du naschen werdest und Gretchen nicht: sie kennt ihre Leute auf den ersten Blick. Es ist ein Schloß in natürlicher Größe, wie die Menschen es brauchen und wie du es dir gewünscht hast: nur ist es statt aus Eisen aus Schokolade geformt. Von meinem Versprechen wird dir nichts abgezogen, du mußt also zufrieden sein."

Unter diesen Worten wickelte sie aus dem Päckchen ein großes Türschloß, so eins zum Vorlegen an ein Scheunentor. Und sie legte einen eisernen Reifen um seinen Kopf, gerade unter der Nase hin; daran hängte sie das Schloß, daß es ihm gerade vor dem Mäulchen baumelte und er nur mit der ausgestreckten Zunge ein wenig daran lecken, nicht aber mit den Zähnen es fassen konnte. Es war aber aus so harter Schokolade gebacken, daß er es auch mit den Fingern nicht zu zerbrechen vermochte, sondern vier Wochen daran lecken mußte, bis er den Mund wieder ein wenig mehr frei hatte.

Gretchen verspeiste ihre Hundehütte unterdessen und verdarb sich nur einmal jede Woche den Magen; sie hätte dem Brüderchen gern etwas abgegeben; aber das schwere Schloß schlug ihr immer auf die Finger, daß sie „au!" sagte und zurückfuhr. Da aß sie den Kuchen lieber allein.

Hänschen aber soll in seinem Leben nicht wieder genascht haben.

Wie Fritzchen zum erstenmal einkaufte.

Von Agnes Hoffmann. Mit Bild von H. Vogeler.

Mutter, ich will auch einmal einkaufen, ich bin ja schon so groß, Pastors Walter holt seiner Mutter immer alles ein," so bat das fünfjährige Fritzchen.

„Gut," sagte die Mutter, „ich will es heute einmal mit dir versuchen, aber, wenn du es schlecht machst, schicke ich dich nicht wieder."

Sie hing ihm ein Körbchen an den Arm und gab ihm eine eingewickelte Mark.

„Nun gehst du zu Kaufmann Blechs und sagst: Ein halbes Pfund Kaffeebohnen, das andere Geld zurück. Wie wirst du sagen?"

„Ein halbes Pfund Kaffeebohnen, das andere Geld zurück," wiederholte Fritz.

Die Mutter nickte.

„So ist es richtig, jetzt geh, und sag es immer vor dich hin, damit du es nicht vergißt."

Der Junge trollte ab, und zwar nahm er seinen Weg am Pastorhause vorbei. Schon von weitem sah er, daß Walter am offenen Hoftor stand, aber er tat, als bemerke er ihn nicht.

„Fritz, komm doch 'rein, wir bauen auch 'n feinen Schweinestall," forderte Walter auf, der gerade rechte Langeweile hatte.

Aber Fritz schüttelte den Kopf.

„Hab' keine Zeit, muß einkaufen," erwiderte er wichtig, „ein halbes Pfund Kaffeebohnen, das andere Geld zurück," und stolz ging er an dem Freunde vorüber.

Jetzt bog er in die große Dorfstraße ein, auf der Blechs Laden war. Er ging auf der Mitte der Straße und sagte immer laut vor sich hin: „Ein halbes Pfund Kaffeebohnen, das andere Geld zurück." Dabei bemerkte er gar nicht, daß der Herr Lehrer ein Endchen hinter ihm herging und ihn lächelnd beobachtete.

Nun kam eine Schar Gänse ihm entgegen, sollte er ihnen ausbiegen? Nein, sie konnten ihm ja aus dem Wege gehen.

Wenn man schon so groß war, daß man selbst einkaufte, durfte man das wohl verlangen.

Die Gänse gingen auch wirklich ganz artig zur Seite, nur der große Gänserich, der sich wahrscheinlich ebenso wichtig vorkam wie der kleine Junge, blieb vor ihm stehen, und als Fritz ärgerlich den Korb in die Höhe hob, um ihn fortzujagen, schlug er wütend mit den Flügeln, streckte seinen langen Hals aus und schnappte nach Fritzens Höschen. Jetzt zeigte es sich aber, daß der Junge Mut hatte. Er schlug mit dem Korbe gegen das böse Tier und wich nicht eher zurück, als bis der Gänserich von ihm abließ und ängstlich schreiend hinter den anderen Gänsen herlief. Fritz sah ihm zufrieden nach und nahm den Korb, der ihm beim Kampfe entfallen war, vom Boden. Dann betrachtete er nachdenklich das eingewickelte Geldstück, das er noch in der Hand hielt. Ja richtig, was sollte er doch dafür holen? Ein halbes Pfund — ein halbes Pfund — es fiel ihm nicht ein, so sehr er auch nachdachte. Ob Blechs es vielleicht wissen würden? Kaum, sie hatten ja so schrecklich viel in ihrem Laden. Sollte er umkehren und fragen? Bei Pastors Walter vorbei, der ihn gewiß auslachen würde?

Nein, nimmermehr! Und der arme, kleine Junge, der beim Angriff des wütenden Gänserichs keine Träne vergossen hatte, stand nun plötzlich ganz unglücklich und heulte bitterlich.

Da legte sich eine Hand auf seinen Kopf, und eine freundliche Stimme sagte: „Ein halbes Pfund Kaffeebohnen, das andere Geld zurück."

Fritzchen schaute glücklich auf; er dachte anfangs, die Stimme käme vom Himmel, aber es war der Herr Lehrer, der ihm aus der Not half.

Freilich, der war ja so klug, der wußte natürlich, was er holen sollte.

Mit einem herzlichen: „Danke schön!" lief Fritzchen davon und forderte gleich darauf bei Blechs: „Ein halbes Pfund Kaffeebohnen, das andere Geld zurück."

Als er auf dem Rückweg bei Pastors vorbeikam, stand Walter noch immer am offenen Hoftor und wartete auf ihn.

Fritz hielt ihm stolz den Korb entgegen, daß der Kaffeegeruch ihm in die Nase stieg, und zeigte ihm einen schönen, roten Bonbon, den er zubekommen hatte.

„Ja, Einkaufen ist fein," erklärte er dabei und ging weiter, dann drehte er sich aber noch einmal um und rief: „Gleich komm' ich den Schweinestall bauen!"

Wie Fritzchen zum erstenmal einkaufte.

Originalzeichnung von H. Vogeler.

Die Entenmutter.

Auf der großen Wiese unten,
wo die Ringelblumen stehn,
gibt es heut und alle Tage
etwas Liebliches zu sehn.

Sieben kleine Wackelentchen —
neulich krochen sie erst aus —
führt die gute Hühnermutter
in der Mittagsstunde aus.

Jeden Tag ein Stückchen weiter
in das grüne Gras hinein
watscheln unsre sieben Entchen
und die Henne hinterdrein.

Manchmal stehn sie still und lauschen,
wenn im Grund, ums Mühlenwehr
die gestauten Wasser rauschen —
dann erschrickt die Mutter sehr.

Denn sie ahnt: die Fluten rauben
ihr zuletzt die Kinderschar,
und sie wird im Alter wieder
einsam, wie sie vordem war!

Anna Ritter.

Originalzeichnung von Fedor Flinzer.

Karlchen mit den Hunden.

Karlchen dacht' sich's gar zu schön
mit zwei Hunden auszugehn,
doch nun sitzen alle beide,
jeder auf der andern Seite,

Und das Karlchen in der Mitten
schreit als würd's entzwei geschnitten.
„Karlchen, Karlchen halt dich wacker,
endlich zwingst du doch die Racker!“

Anna Bender.

Originalzeichnung von Hellmut Eichrodt.

Nach dem Aquarell von Theo. Grust.

In Versuchung.

Die Kirschen auf dem Teller,
die locken gar zu sehr,
drum holt sich das Mariechen
den großen Sessel her.

Schon kann sie aufwärts greifen,
da hält sie zögernd ein —
wie sagt doch stets die Mutter?
„Du sollst nicht naschhaft sein!“

Da trägt das Klein-Mariechen
den Sessel wieder fort
und läßt die roten Kirschen
da oben auf dem Bort.

Doch als die Mutter später
vom Markte kehrte heim,
da gab es rote Kirschen
und goldnen Honigseim.

Denn gerne gab die Mutter
die guten Dinge dar
dem braven Klein-Mariechen —
weil es nicht naschhaft war.

Karl Rosner.

Das letzte Weihnachtslicht.

Von Klara Hohrath. Mit Bildern von Hanns Anker.

Die kleine Agnes war allein im Weihnachtszimmer zurückgeblieben, denn die großen Leute waren zum Essen ins Nebenzimmer gegangen. Sie hätte nun eigentlich von der Kinderfrau zu Bett gebracht werden müssen, aber sie hatte sich die Erlaubnis erbettelt, im Weihnachtszimmer bleiben zu dürfen, bis alle Lichtlein an dem Christbaum ausgebrannt wären.

So saß sie nun auf einem Schemel mitten im Zimmer, hielt die schöne, neue Puppe fest an sich gedrückt und blickte unverwandt auf die letzten Kerzchen im Christbaum, die da langsam, langsam herunterbrannten. Und jedesmal, wenn ein Lichtlein unruhig aufflackerte, um gleich darauf in seinem kleinen Blechgehäuse schwelend zu verglimmen, wurden die blauen Augen der kleinen Agnes traurig und füllten sich mit großen Tränen. Sie konnte es nicht begreifen, warum die armen kleinen Lichter, die den ganzen Abend so hell und lustig gebrannt hatten, nun sterben mußten.

Bald war es düster geworden zwischen den Zweigen der großen Weihnachtstanne, ordentlich gespenstisch glitzerte der matte Schimmer der goldenen Ketten und Kugeln aus der Dunkelheit heraus und nur ein einziges Lichtlein hatte seine Geschwister überdauert. Es brannte still und klein auf der höchsten Spitze des Baumes.

Die kleine Agnes ließ kein Auge davon. Nun wurde es kleiner und kleiner, nun reckte es sich plötzlich hoch auf, schwankte unruhig hin und her — o! nun würde es sterben wie all die anderen, das letzte Lichtlein!

Agnes war von ihrem Schemel aufgestanden, hatte die schöne neue Puppe achtlos zu Boden fallen lassen, streckte die kurzen Ärmchen nach dem letzten verglimmenden Lichtlein aus und begann so laut und bitterlich zu schluchzen, daß ein junger Herr aus dem Nebenzimmer, wo die Erwachsenen zu Tische saßen, zu ihr herüber kam. Dem schrie sie denn mit ihrem verzweifelten Stimmchen entgegen: „Jetzt muß es auch sterben! Onkel Georg, sieh doch, es ist schon beinahe tot!“

„Wer denn?“ fragte der, und die schluchzende Kleine erklärte: „Da oben das letzte Lichtlein! Siehst du nicht? Jetzt ist es ganz tot, man sieht es gar nicht mehr! O, Onkel Georg, warum macht der liebe Gott das arme Lichtchen tot, es hat sich doch so sehr angestrengt, schön zu leuchten!“

Der junge Onkel strich sich nachdenklich den großen, blonden Schnurrbart.

„Na, weißt du, sterben tun solche Christbaumlichter nun eben nicht,“ meinte er.

„Aber sie sind doch fort, sie brennen doch nicht mehr, wo sind sie denn, wenn sie nicht tot sind?“ fragte Agnes und sah den klugen Onkel mit ihren großen, tränenfeuchten Augen erwartungsvoll an.

„Wo sie jetzt sind? Die kleinen Lichterseelen, meinst du wohl? Na, ja, da draußen, weißt du, weit fort auf dem Moor, wo die grauen Weiden stehen und wo das viele Schilf wächst, dort sind sie. Da tanzen sie jetzt wie kleine lustige Kobolde hin und her.“ So sagte der große Onkel und nickte dazu mit dem Kopf, und das war ein Zeichen, daß er die Wahrheit sprach. Trotzdem aber fragte die kleine Agnes noch: „Ist es auch wahr, Onkel Georg, ganz gewiß? Kann man die gestorbenen Lichtchen da wirklich tanzen sehen?“

„Freilich kann man sie sehen. Hast du noch nie von Irrlichtern gehört? So heißt man die abgeschiedenen Lichter, weißt du.“

„Dann tanzen also unsere Christbaumlichter jetzt da draußen, Onkel Georg, auch das kleine, das so lange gebrannt hat und gerade eben erst gestorben ist?“

„Freilich,“ sagte der und streichelte das blonde Köpfchen seiner kleinen Nichte, „das tanzt schon mit den anderen übers Moor, und von allen Seiten kommen neue Irrlichter angehüpft, daß es lustig anzusehen ist. All die vielen ausgebrannten Weihnachtskerzen treffen sich da, nun denk einmal nach, was das für einen Menschenauflauf, ich wollte sagen Lichterauflauf, geben muß draußen auf dem Moor! Und was für ein Gefunkel und Gekicher und Geflüster! Denn da geht es zu wie bei einer Mädchenvisite: ein jedes will erzählen, was es alles gesehen und erlebt hat. Und daß solche Weihnachtslichter viel zu erzählen haben, kannst du dir selbst denken. Von unartigen Kindern werden sie auch wohl manches Stückchen zu erzählen wissen!“

Wie der Onkel das sagte, blickte ihn die kleine Agnes scheu von der Seite an mit ein paar erschrockenen, fragenden Augen. Der aber lachte und sagte: „Nein, du gehörst diesmal nicht zu den unartigen Kindern, von denen die Irrlichter erzählen. Aber von weichherzigen Mädchenherzen, die unter dem Christbaum geschlagen haben, mögen die Irrlichter auch erzählen und da wird wohl deine Geschichte mit unterlaufen.“

So sagte der große Onkel und drehte wieder seinen langen, spitzen Schnurrbart und lächelte ein wenig dazu. Und die kleine Agnes lächelte auch, weil sie so glücklich war, daß die lieben Weihnachtslichter nun doch nicht richtig gestorben waren, sondern draußen auf dem Moor herumtanzten.

Aber da kam die Kinderfrau, um sie zu Bett zu bringen. „Gib acht, heute nacht träumst du von tanzenden Irrlichtern!“ rief ihr der lustige Onkel noch nach. Und so ließ sie sich denn geduldig auskleiden und freute sich schon auf den Augenblick, wo sie still und allein in ihrem Bettchen liegen und von den Irrlichtern träumen werde.

Sie lag denn auch noch nicht lange allein, da verwandelte sich schon ihr weißes Federbett in eine große, grüne Wiese. Und über die grüne Wiese kamen kleine Flammen gehüpft und wie die kleine Agnes recht scharf hinsah, erkannte sie in einem der Flämmchen das Lichtlein aus der Spitze des Weihnachtsbaums, das so lange, lange gebrannt hatte. „Siehst du, nun hast du doch nicht sterben müssen, liebes Weihnachtslicht, so was tut der liebe Gott doch nicht! Nein, nicht wahr, so was tut er nicht? Nun darfst du noch lustig weiter leben!“ So sprach die kleine Agnes zum Irrlicht und das nickte zusagend zu ihren Worten, gerade wie Onkel Georg auch nickte, wenn er etwas Wahres sagte.

Aber das war nur ein Traum von der kleinen Agnes, denn in Wirklichkeit ist ein Federbett keine Wiese, über die Irrlichter tanzen, und in Wirklichkeit können Irrlichter auch nicht so verständig nicken wie der große Onkel Georg. Aber ein hübscher Traum war es wirklich!

Allerlei Wahrheiten.

Hätt' die Nadel keine Spitze,
wäre sie zum Näh'n nichts nütze.
Hätten Räder nicht die Kutschen,
müßten sie am Boden rutschen.
Hätten Flügel nicht die Fliegen,
könnte jeder leicht sie kriegen.
Hätten Grillen keine Geigen,
müßten sie im Sommer schweigen.
Hätten Krallen nicht die Katzen,
womit sollten sie dann kratzen? — — —
Und gekratzt muß doch auch sein,
Das sieht jede Katze ein!

Cornelie Lechler.

Mannesstolz.

Alles hält mich für ein Mädchen,
keins für einen Buben mich,
nein, kein Mensch im ganzen Städtchen —
Mutter, o ich schäme mich!

Das kommt von den Lockenhaaren
und den Röcken lang und schwer,
oft schon hab' ich das erfahren.
Morgen müssen Hosen her!

Ist dann auch der Kopf geschoren,
dann wird's herrlich, dann wird's fein!
Als ein Bub' bin ich geboren,
und ein Bube will ich sein!

Cornelie Lechler.

Gespräch zwischen Hans und Grete

Hans: Wenn ich der König wär',
rief' ich mein grosses Heer,
führte es in den Krieg,
erntete Sieg auf Sieg,
herrschte im ganzen Land
bis zu dem fernsten Strand
und stürb' als Held!

Grete: Wär' ich die Königin,
ging' ich zum König hin,
sagte: „Ach, bitte schön,
lass doch das Kriegen gehn!
Schiesst euch noch alle tot,
das tut gewiss nicht not,
ich find' es dumm!"

Hans: Wenn ich der König wär',
und du kämst zu mir her,
sprächest so keck zu mir,
rief' ich den Grosswesir,
sagte: „Da nimm sie hin,
die dumme Königin,
und köpfe sie!"

Grete: Wär' ich die Königin,
ging' ich zu dir nicht hin,
sondern zu Nachbars Franz,
denn der versteht mich ganz!
Der müsste schnell mich frei'n,
dürfte dann König sein
und mein Gemahl!

Hans: Wenn ich der König wär',
und dieser Franz ging her
und wollt' dich, Gänschen, frei'n,
haut' ich ihn kurz und klein
mit meinem Degen hier,
Gretel, das merke dir,
ich spasse nicht!

Grete: Wär' ich die Königin,
ging' ich zum Kaiser hin,
sagte: „Ach, bitte schön,
der Hans will morden gehn,
sperr in den Turm ihn ein,
doch mich schliess mit hinein:
sonst grault er sich!"

Klara Hohrath.

Originalzeichnung von A. Schmidhammer.

Originalzeichnung von Hellmut Eichrodt.

Die Waldfrau.

Waldfrau — du Waldfrau, ich fürchte dich nicht,
du hast so ein runzliges, gutes Gesicht
und drohst du auch, mir mit dem Stock eins zu geben,
ich lache und wette, du schlägst stets daneben.

Anna Bender.

Im Juni.

Ich geh' auf Frühlingsreise
durch Wiesen und im Feld
und denk' es laut und leise:
Wie schön ist doch die Welt!

Windwolken dehnen Streifen;
um mich ein grünes Meer.
Das ist ein Blühn und Reifen
so heimlich ringsumher!

Wie Abends aus dem Weiher
aufsteigt der Nebelduft,
hebt sich vom Korn ein Schleier
und wiegt sich in der Luft.

Und eine Lerche klettert,
läßt unter sich die Au;
indes ihr Lied sie schmettert,
verschwimmt sie hoch im Blau.

Ihr Nest steht in den Halmen —
sie weiß zu Gott den Pfad,
singt ihm der Felder Psalmen,
die keins vernommen hat.

Victor Blüthgen.

Der schöne Fund.

Der Peter hat doch immer Glück,
fand neulich erst ein Fünfpfennigstück,
und denkt nur, was er heute fand:
Wie durch den Sand
hinab er schlendert an dem Strand,
da liegt vor ihm wie auf dem Tisch
ein schöner, großer und toter Fisch.
Den spießt auf einen Stab der Peter
und froh damit nach Hause geht er;
weil es ihm wohlgeraten schien,
zu kochen oder zu braten ihn,
trägt in die Küch' er ihn hinein;
da läuft die Köchin fort mit Schrei'n,
und das ganze Haus
kriegt einen Graus,
reißt vor dem Fisch und dem Peter aus.

Nachher sind noch drei Krähen gekommen,
die haben sich über ihn beklagt,
daß er den Fisch ihnen weggenommen,
ihr Mittagsbrot, haben sie gesagt.
Lauf, Peter, lauf, so sehr du kannst,
und leg ihn hin, wo du ihn fandst!

J. Trojan.

Die einsame Blume.

Von Anna Ritter. Mit Bildern von E. Kreidolf.

„Wenn ich ein bißchen derber wäre,“ seufzte die kleine Mohnblume und zog sich das Röckchen, das noch ganz faltig war, weil es bis gestern in der Knospe gesteckt hatte, enger um ihre dünnen Glieder zusammen, „wenn ich derber wäre, könnte es mir hier schon gefallen! Aber der ewige Zug bringt mich um!“

„Unsinn,“ lachten die dicken Roggenähren, „es ist gesund, sich den Wind um die Nase wehen zu lassen, nur dadurch wird man groß und stark!“ Und sie schwenkten sich, daß es eine Art hatte.

Aber was sie sagten, war kein Trost für die kleine Blume, denn groß und stark wollte sie gar nicht werden, und den Wind mochte sie nicht leiden, weil er das Necken nicht lassen konnte. So oft er im Feld spazieren ging, griff er nach ihrem Kleide, ihrem Schürzchen, daß sie vor Verlegenheit und Angst noch röter wurde, als sie von Natur schon war, und dann pfiff er ordentlich vor Vergnügen und rief: „Es steht Ihnen so hübsch, wenn Sie rot werden, Sie sind wirklich eine sehr niedliche kleine Person.“ Aber davon wollte sie nichts wissen.

Und außerdem war der Wind dran schuld, daß sie so ganz verloren und verlassen am äußersten Ende des großen Feldes stand; er hatte im vorigen Herbst das Samenkorn, in dem sie schlief, mutwillig verschleppt, und nun lebte sie hier, von ihrer ganzen Familie getrennt, gerade, wo der Fahrweg vorüber ging und sie allen Blicken ausgesetzt war.

„Einsamkeit ist das Vornehmste,“ belehrte sie der Meilenstein, der schon mit einem Fuß im Grabe stand, so alt war er, „Einsamkeit ist das einzig Wahre!“

Aber die Mohnblume schüttelte traurig den Kopf, sie hatte durchaus kein Talent zur Einsamkeit. Sehnsüchtig sah sie nach der Stelle hinüber, wo die roten Kleider ihrer Verwandten leuchtend durch das Korn schauten, und dann weinte sie des Nachts, so leise und inbrünstig, wie eben nur Blumen weinen können.

Sie hätte so gern jemand gehabt, mit dem sie nach Herzenslust hätte schwätzen können, der Kopf tat ihr förmlich weh von all den Gedanken, die sie bei sich behalten mußte, und wer weiß, was aus ihr geworden wäre, wenn sie nicht endlich eine Freundin gefunden hätte.

Ja, es war wirklich ein großes Glück, daß die Lerche, die ganz in der Nähe ihren jungen Hausstand einrichtete, auf den Einfall kam, die kleine Blume anzureden. Sie tat es zuerst in einer zurückhaltenden Art, denn sie fand es nicht richtig, wenn junge Mädchen ihre eigenen Wege gingen und sich allzu weit von der Familie entfernten.

Aber da kam es heraus, daß die Mohnblume unschuldig war an ihrer Einsamkeit, und was für ein liebebedürftiges kleines Herz sie hatte.

O, wie süß da die Lerche zu trösten wußte — eine Mutter hätte nicht süßer reden und singen können! All das bißchen freie Zeit, das sie in der Wirtschaft erübrigen konnte, schenkte sie der einsamen Blume, und sie redete mit ihr von tausend Dingen, denn sie hatte viel gesehen, sie kannte die Erde und, was mehr war, sie konnte sich über die Erde hinaus schwingen.

„Glauben Sie mir, liebes Kind," sagte sie wohl, wenn sie die Mohnblume einmal gar zu sehr eingeschüchtert fand, „wenn man die Dinge so von oben her ansieht, bekommt alles ein anderes Gesicht. Ich versichere Sie, die Ähren sind schon aus ganz geringer Höhe nicht mehr voneinander zu unterscheiden, so dick und protzig sie hier unten aussehen, und wenn ich den alten Meilenstein erkennen will, muß ich mich ordentlich anstrengen, so sehr schrumpft er zusammen!"

„Ich möchte fliegen können wie Sie!" rief die Mohnblume mit sehnsüchtigen Augen.

Aber dann wurde die Lerche ernst. „Sie haben einen nahrhaften Standort, Kind, die Erde gibt Ihnen alles, was Sie brauchen, dafür müssen Sie dankbar sein!" Und sie dachte in Sorgen der Kinder, die sie erwartete, und wie sie sich dann quälen müsse, um all die hungrigen Schnäbelchen zu stopfen.

Je goldener das Korn wurde, je seltener kam die Lerche, und eines Tages blieb sie ganz aus.

„Ihre Kinder sind da," flüsterte die Mohnblume zärtlich, und deshalb klagte sie auch nicht über das Ausbleiben der Freundin. Aber niemand wußte, wie schwer ihr die Entbehrung wurde. Mit jedem Tage wurde sie stiller und blasser, der Kopf war ihr so schwer, daß sie ihn kaum bewegen konnte, und als der Wind ihr das Schürzchen vom Leibe riß, sah sie kaum danach hin, so müde war sie geworden.

Es konnte niemand wundern, daß sie den Gewitterregen nicht überstand, der eines Nachmittags über das Roggenfeld hinzog mit Prasseln und Klatschen. Selbst die dicken Ähren richteten sich nur mühsam wieder auf, dem Meilenstein lief das Wasser in die Augen, daß er zuerst gar nichts sehen konnte, und als die Sonne wieder schien, war das leuchtende rote Röckchen verschwunden, über das er sich in grämlichen Stunden geärgert hatte, weil er es für sündhaften Putz hielt.

Ja, die kleine Mohnblume war tot, sie hatte ihr hübsches Kleidchen eingebüßt, aber sie stand noch immer aufrecht am Wege und ihr armer Schädel sah unförmlich dick aus auf dem schwanken Stiel.

„Sie hat einen Wasserkopf," lachten die Ähren verächtlich, und der Wind strich in weitem Bogen um die tote Blume herum, es ärgerte ihn, daß er so viel Zeit und Neckereien an einen Wasserkopf verschwendet hatte.

Aber die Lerche wußte es besser. Sobald ihre Kleinen aus dem Gröbsten heraus waren, flog sie zu der einsamen kleinen Blume hin, und ihr gutes mütterliches Herz wollte fast springen vor Weh und Zorn, als sie die häßlichen Reden hörte, mit denen ihre tote Freundin verspottet wurde.

„Sie hatte mehr Gedanken als ihr alle," sagte sie laut und dann umfaßte sie mit dem Schnabel den Hals der toten Mohnblume und biß ihn durch, daß der Kopf hinunter rollte in den Sand.

Ja, da kam es heraus, was die Verspottete in ihrer Einsamkeit alles zusammen gedacht und gegrübelt hatte! Eine ganze Flut dunkler Gedanken ergoß sich um den alten Meilenstein, und als der nächste Frühling kam, da blühte es rot und lustig um sein verwittertes Gesicht, daß es aussah, als trüge er auf seine alten Tage eine feurige Halskrause.

Aber die Lerche, die hoch im Blauen über ihm sang, war erst hierher verzogen, sie kannte die Geschichte der armen Mohnblume nicht.

Im Bienenhaus.

's war heuer ein schlimmes Bienenjahr!
Im Häuschen hockt fröstelnd der Immen Schar;
nur wenig trugen im Sommer sie ein,
denn karg war der Himmel mit Sonnenschein;
kam einmal ein freundlicher Bienentag —
gleich folgten Regen und Hagel nach.
Manch Blümchen mit leckerem Honigmund,
manch fleißiges Bienchen ging da zu Grund!
Auf ihrem Throne die Königin
blickt sorgenvoll auf ihr Völkchen hin;
bekümmert gedenkt sie des kühlen Mai,
die Lindenernte ging auch vorbei,
und leer steht noch manch Kämmerlein — doch
uns blüht ja da draußen die Heide noch!
Verdrießlich stehen die Wächter am Tor —
wagt' eine Drohne sich jetzt hervor,
die Ärmste käm' ihnen grade recht:
marsch, marsch, hinaus, du fauler Knecht,
möcht'st wohl den Wanst dir voll hier schlecken —
bei uns heißt es selber jetzt: Teller lecken!

Franz Bechert.

Originalzeichnung von Fedor Flinzer.

Die Königin.

Die Rose ist die Königin!
Ihr huld'gen mit ergebnem Sinn
die Blumen, die das wissen,
die Tulpen und Narzissen,
die schönen Hyazinthen auch,
und was da blüht an Baum und Strauch.
Es beugt zu ihr der Flieder
demütig sich hernieder,
der blühende Holunder
schaut auf das Rosenwunder,
auf seine schöne Königin,
mit hundert großen Augen hin.
Bescheiden stehn von ferne
die kleinen Blütensterne,
Pustblümchen wagt sich auch nicht 'ran:
wer weiß, was da passieren kann!

Der strengen Dame mit dem Stock,
der Sonnenblum' im grünen Rock,
der steifen alten Schraube
mit ihrer goldnen Haube,
der ist nicht recht zu trauen —
die könnt' am Ende hauen!
Der eitle Pfau schaut sich nur an:
„Was ist denn an der Rose dran?
Mir ist sie viel zu zimperlich,
zu weichlich und zu pimperlich,
ich finde solche Schönheit fad!
Schlüg' ich nur einmal jetzt mein Rad,
da wär' es plötzlich aus mit ihr,
und alle schauten nur nach mir.
Dann würd' es klar in kurzer Frist,
was königliche Schönheit ist!“

Heinrich Seidel.

Die Königin.
Originalzeichnung von H. Vogeler.

Die Mieke.

„O Mutter, komm und sieh geschwind,
was Vater heut in Schnee und Wind
gefunden hat am Teich!
Ein Reh — so zierlich, zart und klein,
so zahm und niedlich, lieb und fein —
o Mutter, komm doch gleich.“

„Zahm soll es sein? — so gebt doch Raum —
das glaub' ich wohl, es lebt ja kaum,“
spricht Vater und tritt ein.
„Wo, Mutter, bleib' ich mit dem Tier?
Ich bringe es zur Pflege dir,
soll's in den Stall hinein?“

Nun liegt es weich in Heu und Moos
geborgen wie in Mutters Schoß,
es streckt sich hin ganz still.
Und Mutter holt die Flasche her,
gefüllt mit warmer Milch gar schwer,
ob Tierchen trinken will.

O Freud'! Es trinkt! Vor Wonne muß
Klein-Lenchen drücken einen Kuß
auf Rehleins Stirn geschwind.
„So stör' es nicht, so gib doch acht,“
ruft Franz. „Ich war ganz leis und sacht,“
verteidigt sich das Kind.

„Wie soll's denn heißen?“ Mutter fragt.
Und „Mieke“ ohn' Besinnen sagt
Klein-Lenchen froh bewegt.
Und Mieke ward der Kinder Freud'
in langer, schwerer Winterzeit,
bis sich's im Walde regt.

Der Lenz ist da! Im Sonnenschein
liegt Feld und Dorf und Flur und Hain,
die Amsel pfeift im Busch.
Die Mieke äugt, Klein-Lenchen singt,
der Franzel jauchzt, die Mieke springt
mit kühnem Satz husch-husch.

Fort geht es über Stock und Stein,
kein Rufen hilft und auch kein Schrei'n —
die Freude ist dahin.
Im hellen, lichten Sonnenschein
läuft Mieke in den Wald hinein,
dahin steht ihr der Sinn.

Klein-Lenchen weint, der Vater lacht
und spricht: „Hast du denn nie gedacht,
daß Mieke möcht' hinaus?
Ihr Heim, das ist der grüne Wald,
der lockte sie, den liebt sie bald
wie du dein Elternhaus.“

Der Sommer und der Herbst vergehn,
die Bäume nun entblättert stehn,
der Winter kommt mit Macht.
Er kommt daher mit Sturmgebraus,
mit Eis und Schnee und Frost und Graus —
es sinkt herab die Nacht.

Was tönt am Fenster plötzlich sacht —
kling-ling-kling-ling? — Klein-Lenchen lacht
und jubelt hell heraus:
„Die Mieke — ach — ihr Glöcklein hell —
ich hör' es! Franz, o, öffne schnell —
die Mieke kommt nach Haus.“

Die Mieke springt zur Tür herein,
so groß und schlank, so zart und fein,
und sieht sich spähend um.
Sie weiß, wo sie zur Winterzeit
behütet wird vor allem Leid —
die Mieke ist nicht dumm.

Bertha Clément.

Schreiber

Originalzeichnung von Hans Schulze.

Originalzeichnung von W. Thielmann.

Gnomen-Abenteuer.

Mit Ästen, seltsam anzusehn,
sieht man die alte Weide stehn.
Da sitzen gern im Abendschein
Herr Ping und Pung, zwei Zwergelein,
und plaudern, was der Tag gebracht,
noch einmal durch, bis in die Nacht.
Herr Ping, das ist ein stiller Mann,
der sieht die Dinge weise an,
der raucht sein Pfeifchen vor sich hin,
wahrt stets den ruhig heitern Sinn.
Herr Pung, dem wallt zu leicht das Blut,
der kommt zu schnell in Zorn und Wut,
und selbst am alten Weidenbaum
verliert er dieses Leiden kaum. —
Kam heut ein Heupferd aus Versehen
beim Sprung auf Pungens Kopf zu stehen.
Den Mißgriff merkte bald der Reiter,
sprach: „O Pardon!“ und hüpfte weiter.
Herr Pung begann jedoch zu schreien:
„Was sind denn das für Tölpeleien!“
und wirft mit wütendem Gekeife
nach ihm die schwere Tabakspfeife
und stürzt ihm nach und achtet kaum
der Wurzeln an dem Weidenbaum.
Doch über diese Weidenwurzeln
wird Pung auf seine Nase purzeln!
Das Heupferd aber hüpft davon
und lacht nur über den Patron,
der sich so zügellos benahm,
daß er dann selbst zu Schaden kam!

Karl Rosner.

Was Karlchen sich wünschte.

Hoch zu Rosse sitzt der Schelm,
auf dem Kopf den blanken Helm.
Ritterlich mit stolzem Schwert
ist die kleine Faust bewehrt.
Rößlein steigt, schlägt hinten aus,
Karlchen macht sich nichts daraus,
greift nur strammer in die Zügel,
hebt sich jauchzend hoch im Bügel.
In den Adern echt und gut
fließt ihm deutsch Soldatenblut.
Oberleutnant ist Papa,
Feldmarschall wird Karlchen ja!
Wo Papa nur heute steckt?
Karlchen lauscht. Das Hälschen reckt
jubelnd sich: „Papa! Papa!“
Vaters Schritt klingt schon ganz nah.
In der Tür steht er auch schon,
hascht sich flugs den kleinen Sohn,
frohes Leuchten im Gesicht,
hebt ihn auf den Arm und spricht:
„Denk mal, draußen auf der Wiesen
läßt der Klapperstorch dich grüßen.
Will uns nächstens mal besuchen,
bringt Bonbons und süße Kuchen,
Und am End auch sonst was noch!
Karlchen, hör, so sag mir doch,
wenn der Storch vielleicht tät fragen,
was soll der Papa dann sagen?
Bruder oder Schwesterlein,
Karlchen, flink, was soll es sein?“
Karlchen sieht zum Fenster 'naus,
zieht die Stirne sinnend kraus,
an der Nas' das Fingerlein,
starrt gedankenvoll er drein.
Dann verklärt sich sein Gesicht,
und entschlossen ruft der Wicht:
„Wenn's ihm ganz, ganz einerlei,
sag, daß es ein Möpschen sei!“

Henny Koch.

Hoch oben.

Die Linde, die Linde,
die wiegt ihr Geäst,
sie schaukelt im Winde
mein luftiges Nest.

Ein Sitz von zwei Brettern,
ein grünes Gemach,
von raschelnden Blättern
ein schattiges Dach!

Im Schürzchen, im bunten,
zwei Äpfel, ein Buch, —
vom Garten tief unten
weht Nelkengeruch.

Und rauscht's durch die Bäume,
und wiegt's mich umher,
ich lese und träume,
ich fahr' auf dem Meer!

In heimlicher Klause
kein Blick mich entdeckt,
und ruft's mich vom Hause,
ich bleibe versteckt,

Bis aus dem Gemache
die Nacht mich vertrieb —
dann komm' ich und lache:
„Wer weiß, wo ich blieb?

„Wer rät es geschwinde?
„Dem zeig' ich mein Nest!"
Die Linde, die Linde,
die wiegt ihr Geäst!

L. von Strauß und Torney.

Originalzeichnung von Franz Hein.

Die beiden Tassen.

Von Klara Hohrath. Mit Bild von E. H. Walther.

Sie standen nebeneinander im Schrank, die blecherne und die porzellanene Tasse, beide waren sie weiß und mit bunten Blumen bemalt, aber die porzellanene hielt sich für weit vornehmer als ihre Nachbarin. „Ich bin weiß von Grund aus und so zart, daß man durch mich hindurchsehen kann, wenn man mich gegen das Licht hält,“ sagte sie zur Blechtasse, „du aber bist nur weiß angestrichen und dein Innerstes ist gemeines Blech.“

„Aber du bist zerbrechlich und ich bin dauerhaft,“ entgegnete die gekränkte Blechtasse, „und wer zuletzt lacht, lacht am besten!“ Was sie mit diesen Worten sagen wollte, verstand die Porzellantasse nicht, „es wird halt auch nur Blech sein,“ dachte sie bei sich.

Am folgenden Morgen wurden die Tassen aus dem Schrank genommen und mit heißer Milch gefüllt. Die kleine Anneliese bekam die Blechtasse hingestellt und die größere Schwester, Helene, die porzellanene. Wie nun Helene die Tasse an den Mund setzte, erschrak sie über die heiße Milch, die ihr die Lippen verbrannte, und ließ die Tasse fallen; darüber erschrak wiederum die kleine Anneliese und ließ zur Gesellschaft auch die ihre fallen. Da lagen nun beide Tassen auf dem Tisch und die weiße heiße Milch floß eilig darüber hinweg. Die beiden Kinder schrien. Die Blechtasse erholte sich am schnellsten von ihrem Schreck. Sie hatte im Fallen nur eine kleine Beule davongetragen. Sie schaute sich um und gewahrte die arme Porzellantasse in vielen kleinen Scherben auf dem Tisch liegen.

„Das kommt davon, wenn man so fein und von solch zarter Beschaffenheit ist, daß man beim geringsten Schrecken zusammenbricht!“ meinte die Blechtasse und dann lachte sie.

Nun hätte die Porzellantasse merken können, was mit den unverständlichen Worten: „Wer zuletzt lacht, lacht am besten,“ eigentlich gemeint war, aber die arme Porzellantasse hörte ja das Lachen gar nicht mehr, sie lag schon in Scherben; sie war eben zu fein für dieses Leben gewesen!

Originalzeichnung von M. Schönberger.

Vom Kathreinchen und von der Thilde.

Im weißen Häuschen mit den grünen Lädchen,
da wohnt mit ihren Eltern das Kathreinchen,
das ist ein gar gesittet kleines Mädchen,
hat ein rotes Röckchen und hat dicke Beinchen.

Und hat auch eine wunderschöne Puppe,
die liegt noch in den Kissen — ist ein Kleinchen,
trinkt nur erst Milch und höchstens etwas Suppe,
doch ist sie brav schon wie Mama Kathreinchen.

Kathreinchens Freundin ist des Nachbars Thilde,
die ist — ich muß es leider eingestehen,
ein kleiner Trotzkopf — schon auf unserem Bilde
kann man das wohl an ihrem Mäulchen sehen.

Und ihre Puppe — ja, da steht's noch schlimmer —
man sieht es gleich, es fehlt ihr an Manieren,
sie hat von Anstand keinen leisen Schimmer,
auch pflegt sie sich mit allem zu beschmieren.

Doch heute wird die Puppe Augen machen,
und Thilde zieht das Mäulchen nicht mehr kraus,
denn seht, da kommt mit wundersüßen Sachen
die brave Anna aus dem weißen Haus.

Sie trägt den Kuchen auf dem großen Brette
goldgelb und flaumig — o, wie ist der fein! —
Und eine Kanne — Kinderchen, ich wette:
Da drinnen kann nur Schokolade sein!

Die brave Anna schreitet durch den Garten,
und in der Laube steht der Tisch gedeckt,
der braucht nicht lange mehr auf Gäste warten,
da kann er sehen, wie's den Kindern schmeckt!

Jetzt freilich kann auch Thilde munter lachen
und ihre Puppe — schmunzelt jetzt nicht minder,
doch Anna spricht: „So herrlich gute Sachen
gibt's künftig nur für herrlich brave Kinder!"

Karl Rosner.

Bescheiden.

Großväterchen und Enkelsohn
am Fenster stehn und schauen still
dem Wirbeltanz der Flocken zu,
da's bald schon Weihnacht werden will.

Sie sinnen beide vor sich hin,
wie's eben ihren Jahren frommt,
Großvater träumt von dem, was war,
Klein Hänschen nur von dem, was kommt.

„Großvater, raucht der liebe Gott?"
Der alte Mann erstaunt sich baß,
sieht ungewiß den Kleinen an:
„Sag, Hänschen, flink, wie meinst du das?"

Hänschen errötet, zögert, stockt,
und flüstert leise: „Weil er dann
vielleicht mir doch zum heil'gen Christ
Zigarrenkistchen schenken kann!"

Henny Koch.

Nach dem Gemälde von F. Vezin. — Photographie im Verlag von Franz Hanfstaengl in München.

Die Bettler.

Sie dünken beide sich nichts Schlechts,
der Fips da links, die Lola rechts,
und beide haben ohne Zweck
ums Auge einen großen Fleck.
Jedoch, es sitzt das braune Dings
bei Fipschen rechts, bei Lola links.
Die Sehnsucht wohnt in ihrem Magen.
Mich dünkt, ich hör' sie deutlich sagen:
„Da sitzt ihr nun und trinkt und eßt!
Wie kommt's, daß ihr uns ganz vergeßt?

O seht, wir bitten doch so sehr:
Gebt uns doch auch was Gutes her,
ein Häppchen oder einen Knochen,
es hat zu wunderschön gerochen!
Ihr seid ja wie ein Stein so kühl!
Habt ihr denn gar kein Mitgefühl?
Wißt ihr denn nicht, wie Hunger tut?
Der Mensch sei edel, hilfreich, gut!
So sagte einst ein großer Mann —
da nehmt euch 'mal ein Beispiel dran!"

Heinrich Seidel.

Text aus „Lust und Leid der Jugendzeit" im Verlag von Theo. Stroefer in Nürnberg.

Vorüber ist der Winter.

Text aus „Lust und Leid der Jugendzeit" im Verlag von Theo. Stroefer in Nürnberg.

Hänschens Geburtstagsgeschenk.

Geburtstag feiert Hänschen heut;
da steht er — seht, wie er sich freut!
Der Tisch ist ja auch so bepackt,
daß von der Last er sicher knackt.

Ein großer Kuchen, schön bekränzt
mit Blumen, in der Mitte glänzt,
und ringsherum ein Allerlei
für Spiel und Ernst in bunter Reih':

Buch, Messer, Anzug, Gummiball,
Menagerie, Hut, Pferdestall,
und außerdem noch dies und das,
was kleinen Knaben machet Spaß.

Doch Hänschen sieht von allem nur
die blanke Kürassiermontur,
die ihm die Großmama verehrt:
ein Küraß, Helm, ein schönes Schwert.

Nichts freut ihn so wie diese Pracht;
sofort wird alles festgemacht:
„Nun müssen mich die Jungens sehn,
die werden ja vor Neid vergehn!"

'ne halbe Stunde ist entflohn,
da sieht Mama den lieben Sohn,
wie er lautweinend kehrt zurück;
von all dem Glanz kein heiles Stück.

Den Roßschweif trägt er in der Hand,
der Helm samt Adler ganz verschwand,
der Küraß schleift im Staube nach,
und auch das gute Schwert zerbrach.

„Was ist geschehn? — Mein armes Kind!
Was tat man dir? Erzähl' geschwind!
Die schönen Sachen hin im Nu!
So sprich doch, sag, wie ging das zu?"

„Ich," schluchzte Hänschen, „ich — die Jungen —
ich kam nur eben hingesprungen,
da fingen alle an zu schrei'n:
Der muß — der muß — Lord Kitschner sein."

Hier heulte Hänschen jämmerlich, —
„Der ist kein Bur" — sie meinten mich —
„denn solchen Küraß, blank und neu,
hat nicht Dewet, nicht Delarey."

Drauf haben sie mich unverweilt
— huhu — ganz schrecklich durchgekeilt.
Und, Mutter, ja, das stimmt, kein Bur,
das weißt du auch, trägt doch Montur!

Daß Großmama das nicht bedenkt
und solches blanke Zeugs mir schenkt!
„Da," schreit er wild, „da mag's nun liegen,
ich bin ein Bur, und ich will siegen!"

Elise Maul.

Brummers Abenteuer.

Es lag einmal ein kleiner Mann
im grünen, grünen Grase,
da kam ein dicker Brummer an,
summ summ —
und flog ihm auf die Nase.
Das Männlein klein
fing an zu schrein,
schlug aus mit Hand und Füßen,
und dazu mußt' es niesen.

Da schoß der dicke Brummer fort
mit Zittern und mit Beben.
Ein andrer saß am Baume dort:
„Summ summ —
was mußt' ich jetzt erleben!
Ich ruh' mich still,
da mit Gebrüll
hub an ein Donnerbrausen
und schrecklich Sturmessausen.

„Die Erde bebte mit Gewalt —
ich kam vor Schreck von Sinnen,
und unten tat sich auf ein Spalt;
summ summ —
der Wind riß mich von hinnen
aus meiner Not,
sonst war ich tot —
Herr Vetter, Herr Vetter,
was gibt es doch für Wetter!"

Und beide Brummer flogen dann,
erzählten's all den Ihren.
Da hub ein großes Wundern an,
summ, summ —
dazu ein Gratulieren
mit summ summ summ
und brumm brumm brumm
von jungen und von alten,
daß er noch wohlbehalten!

Victor Blüthgen.

* * *

Der kleine Künstler.

Hier ein Punkt, ein andrer da,
noch ein Strich dazu,
dann ein Kreis — — o komm, Mama,
sieh doch, das bist du!

„Was du sagst," mit Lachen spricht
drauf das Mütterlein,
„daß ich dies sei, dacht' ich nicht,
doch ich werd's wohl sein."

Cornelie Lechler.

Originalzeichnung von E. H. Walther.

Zwei Helden.

Hans und Peter Hasenfuß,
hei, wie stolz und mutig!
„Kriegt' ich ihn, ich schlüg' ihm gleich
Ohr und Nase blutig!“
„Und ich schlüg' ihn krumm und krank,
könnt' ich ihn erwischen!“
Aber leider, Gott sei Dank,
bleibt der Baum dazwischen.

Hans Hoffmann.

Der neue Kragen.

Du mußt es nicht weiter sagen,
ich sag' es dir allein:
Die Puppe hat einen Kragen,
den kauft' ihr mein Mütterlein.
Des Tags darf sie den nicht tragen,
des Nachts, da schläft sie ein.
Ich hätte sie geschlagen,
wollte sie diesen Kragen,
denn sieh: — er ist zu fein!

Gustav Kastropp.

Allerlei Spiele.

Von Irene Braun.

Soll ich euch erzählen, wie bei Weigandts gespielt wird?

„Kinder, jetzt müßt ihr hereinkommen,“ rief die Mutter in den Garten hinaus, wo sich die junge Gesellschaft trotz der schwer herabschlagenden ersten Regentropfen noch herumtrieb und behauptete, das Gewitter gehe doch gleich vorbei. Statt dessen verwandelten sich aber die Tropfen in feste Hagelkörner, Blitz und Donner folgten sich in immer kürzeren Pausen, und Paul Weigandts Geburtstagsfeier, die bisher draußen stattgefunden hatte, mußte auf die Veranda verlegt werden.

So gab es zuerst ein ziemlich langweiliges Herumstehen und -Sitzen, denn draußen war es viel schöner gewesen, — bis die Mama mit ein paar Bogen weißen Papiers und vielen Bleistiften erschien. Sie wurde stürmisch begrüßt. „Aber du mußt mittun!“ rief Hermann, „sonst ist's nicht halb so schön!“

Die Mutter nickte freundlich. „Was denn zuerst?“ — „Das Zeichenspiel!“ antwortete Hermanns Freundin Emmy. Während die Mutter die Zettel zurechtschnitt und verteilte, sagte schüchtern die blonde, kleine Marie, die zum erstenmal bei Weigandts war: „Ich kann aber nicht zeichnen!“

„Ich helfe dir schon,“ antwortete die Mutter, „setz' dich nur hier neben mich und mache mir das nach!“ Damit gab sie im oberen Teil ihres Blattes mit dem Bleistift fünf Punkte an, wie es eben kam; das konnte Marie auch. Dann wurden die Zettel nach rechts an den Nachbar weitergegeben.

„Jetzt machen wir aus diesen fünf Punkten ein Bild,“ erklärte die Mutter weiter; „jeder Punkt muß irgend eine Hauptsache im Bild vorstellen.“

Marie starrte ratlos auf ihr Blatt mit den Punkten und nagte am Bleistift; die Mutter fragte leise: „Was könnte man denn aus dem höchsten Punkt machen? Was steht denn am höchsten?“ — „Ein Stern.“ — „Gut, und aus dem nächsten die Kirchturmspitze, und da unten? Die drei Punkte in einer Reihe?“ — „Das gibt einen Zaun mit drei Pfosten,“ sagte Marie nach einigem Besinnen. Die Mutter half ein bißchen nach, und die Dorflandschaft war fertig. Die andern hatten flott darauf los gezeichnet, die hatten Übung. Die Bilder wurden noch nicht gezeigt, sondern heimlich an den rechten Nachbar weitergegeben.

„Jetzt muß ein Vers darunter geschrieben werden, der das Bild erklärt,“ sagte die Mutter.

„Das kann ich,“ meinte Marie und fing gleich an. Alles kritzelte eilig weiter und schließlich wurden die Zettel zusammengelegt, die Mutter hielt jeden einzeln in die Höhe und las zum allgemeinen Vergnügen die Verse vor.

Schaut, was dabei herausgekommen ist! Gerade weil es keine Kunstwerke sind, sollt ihr sie sehen, damit ihr euch nicht geniert und sagt, ihr könntet nicht zeichnen. — Marie hatte unter den feuerspeienden Berg geschrieben:

„Hier der Vulkan speit immerfort,
Verschütten wird er bald den Ort.
Das Segelschiff fährt durch die Well'
Und rettet die Einwohner schnell.
Das Feuer rinnt herab ins Meer,
Der Fisch kriegt keinen Atem mehr.“

Unter Pauls Alpenlandschaft hatte Hermann geschrieben:

„Dies ist wohl
In Tirol?
Und der Adler tut sich leicht,
Wenn er in die Höhe steigt;
Aber für den Wanderer
Ist der Weg ein anderer.
Gut, daß da ein Wirtshaus steht,
Wo der Weg vorübergeht,
In dem der Wanderer was kriegt,
Aber der Adler nicht.“

Das Spiel mußte nochmal gemacht werden, dann aber kam ein anderes, wobei es sich um die größte Schnelligkeit im Nachdenken und Schreiben handelte. Die Mutter legte die Uhr auf den Tisch und gab ein Wort mit vielen Buchstaben; aus diesen Buchstaben mußten nun im Lauf von fünf Minuten so viel andere Worte wie möglich gebildet werden; man durfte sie trennen, umstellen, verdoppeln, aber keinen neuen hineinbringen. „Gib uns ein Wort, in dem alle Buchstaben vorkommen,“ bat eines. „Nein,“ sagte ein anderes, „ein Wort, wo man sich besinnen muß, weil ein paar notwendige Buchstaben fehlen.“ Die Mama hatte indessen die Uhr beobachtet und kommandierte jetzt: „Los! Speisekammer.“ Das schrieb jeder oben hin und dann ging's mit fliegenden Bleistiften weiter, nach und nach aber langsamer; ein Wort ohne n ist schon nicht bequem. Emmy hatte, als die fünf Minuten um waren, die längste Liste mit: Kamm, Kammer, Mama, Eis, Reis, Preis, Esse, Kasse, Kappe, Kaiser, Käse, Karre, Rippe, Rasse, Masse, Reisekasse, Keim, Reim, Kies, Riese, Kreis, Sieg. — 22 Worte. Hermann hatte 21, dabei Mekka und Sesam, Isaak, Kaspar. Paul hatte gemogelt, d. h. eine Menge lateinischer Wörter mit hineingeschrieben. „Du hast nicht gesagt, daß es auf Deutsch sein muß!“ behauptete er, und wollte Makkaroni mitzählen, wogegen man sich im Chor empörte.

Auch dieses Spiel war nicht mit einem Mal abgetan, es kamen immer kühnere Wortverbindungen heraus. Dann gab's eine Unterbrechung, eine Freundin der Mutter kam, und die Kinder bekamen einen Schrecken — jetzt würde gewiß die Mutter mit der sonst recht beliebten Tante Cilly ins Wohnzimmer hinübergehen! Aber nein, die Tante verstand sich auf Kindergesellschaft und Spiele, setzte sich dazu und sagte:

„Kennt ihr das Anzeigenspiel? Ich meine Anzeigen, wie sie in der Zeitung stehen, so etwa: ‚Ein hübsches Familienhaus, dreistöckig, mit elektrischer Beleuchtung 2c. ist sofort billig zu vermieten‘, — oder: ‚Eine goldene Damenuhr, mit Brillanten besetzt, wurde auf der Heimfahrt vom Volksgarten in der Straßenbahn verloren‘; oder: ‚Ein grauer Papagei, welcher singen, pfeifen und sprechen kann, ist entflogen‘. Seht ihr, solche Anzeigen wollen wir verfassen, aber wohlgemerkt, jede Anzeige wird in drei Teile zerlegt, die sich dann zusammenfinden wie sie mögen, denn die Zettel werden gewechselt. Paßt gut auf: Im ersten Teil nennen wir den Gegenstand, im zweiten wird er durch irgend einen Zusatz näher beschrieben, im dritten sagen wir, was damit geschieht oder geschehen soll. Im übrigen schreibt, was ihr wollt, nur diese Reihenfolge muß eingehalten werden. Auf jeden Zettel kommen drei Anzeigen, seht ihr, so“: Tante Cilly nahm einen langen Zettel und faltete ihn der Quere nach in drei Teile. „In die erste Rubrik links herunter schreibt also jeder Anfänge von solchen Anzeigen, einen Gegenstand, ein Tier, eine Person, irgend was. — Los!“

Wieder kritzelten die Bleistifte, nur die Jüngeren, die noch nicht viel von Zeitungsannoncen wußten, besannen sich länger.

„Jetzt wird die erste Rubrik links eingebogen, daß man nichts davon lesen kann, und der Zettel dem Nachbarn gegeben.“

„Nun kommt, wie der Gegenstand aussieht, was er kann, wozu er gut ist oder etwas ähnliches, drei Fortsetzungen, für jede Anzeige eine.“

„Aber ich weiß ja nicht, was auf meinem Zettel für Anzeigen angefangen sind,“ meinte Marie. Die andern aber hatten den Witz schon erfaßt. „Das ist's ja eben, daß dann nichts zusammenpaßt, wenn's aufgewickelt wird. Schreib nur!“

„Die Fortsetzungen zu meinen drei Anfängen?“

„Ja, das kannst du auch, oder irgend eine nähere Beschreibung von irgend was.“

Nun waren die drei Mittelstücke auf jedem Zettel geschrieben, die Zettel wurden bis an die dritte Rubrik zugewickelt und weiter vertauscht.

„Jetzt besinnt euch auf schöne Schlüsse, nicht nur ‚wird verkauft, ging verloren, wurde gefunden‘,“ sagte die Tante; „es kann ein bißchen ausführlich sein.“

Nach ein paar Minuten waren auch die Aussagen niedergeschrieben und die Zettel durften geöffnet werden. Da gab's ein Kichern und Lachen; Emmy wollte ihren Zettel vorlesen, kam aber vor Lachen nicht weiter und gab ihn der Mutter, die nun verkündete:

Eine herrliche Gipsfigur	welche auf Verlangen die wunderbarsten Kunststücke macht	sucht ein gemütliches Heim in seiner Familie.
Ein treues, fleißiges Kindermädchen	nur an wenigen Stellen von Motten beschädigt	ist zugelaufen und kann gegen Ersatz der Futterkosten abgeholt werden.
Eine italienische Ziehharmonika	auf deren Gebrauch überall Haare wachsen	sollte in keinem modernen Haushalt fehlen.

So wurden alle Zettel verlesen, und die Gesellschaft kam nicht aus dem Lachen heraus, besonders als „das berühmte Rhinozeros im zoologischen Garten“ — „welches schon längere Zeit drohend am südlichen Himmel stand“ — „sich beehrte, allen lieben Freunden und Bekannten ein fröhliches Prosit Neujahr zuzurufen“.

Draußen im Garten schien längst wieder die Sonne, aber sie wurde nicht beachtet, so schön war das Anzeigenschreiben. Natürlich kam auch manchmal etwas heraus, das wirklich paßte, oder auch keinen lustigen Unsinn ergab; aber jeder Zettel enthielt doch irgend etwas Schönes, die Kinder merkten auch sehr schnell, auf was es ankam, und die Abwechslung wurde immer reicher. „Von heute an lese ich die Zeitung“ erklärte Paul.

Ziemlich spät trennte sich die Gesellschaft und versicherte im Chor, es sei sehr fidel gewesen und sie wollten bald wiederkommen.

„Kommt einmal zu mir,“ sagte Tante Cilly, „ich weiß noch einen solchen Jux.“

„Die Tante Cilly hurra, hurra, hurra!“ rief Paul und die anderen stimmten ein.

HANS·SCHULZE
BERLIN·